KB213343

앗쌀람 알라이쿰 이집트

앗쌀람 알라이쿰 이집트

발 행 | 2024-02-26

저 자 | 유의민

펴낸이 | 한건희

펴낸곳 | 주식회사 부크크

출판사등록 | 2014.07.15(제2014-16호)

주 소 | 서울 금천구 가산디지털1로 119, A동 305호

전 화 | 1670 - 8316

이메일 | info@bookk.co.kr

ISBN | 979-11-410-7359-6

본 책은 브런치 POD 출판물입니다.

https://brunch.co.kr

www.bookk.co.kr

이집트 자유여행 가이드 에세이

앗쌀람 알라이쿰 이집트

글·사진 유의민

CONTENTS

작가의 말 | 이집트 자유여행을 망설이는 그대에게…

이집트는 가본 사람이나 안 가본 사람이나 누구나 인정하는 자타공인 이색여행지 중 하나다. 자고로 이색여행지라 하면 그 어디에서도 볼 수 없는 무언가가 있고 특별한 경험을 할 수 있어야 할 터. 또한 여행 난이도 역시 높은 편이다. 이집트는 이 3가지 조건을 다 갖췄다. 일단 피라미드는 이집트가 유일하고 국토의 대부분을 차지하는 사막을 보는 것만으로도 이미 충분히 특별한 체험이 된다. 여기에 이집트의 문화, 종교, 환경, 치안, 시설 등이 어우러져 난이도 (상)의 여행지로서 화룡점정을 찍는다. 그래서 이집트는 대부분의 사람들에게 자유여행을 하기에는 다소 망설여지는 약간의 용기가 필요한 여행지일 수밖에 없다.

〈앗쌀람 알라이쿰 이집트〉에서는 적어도 이 정도만 알고 가면 이집트에서 호갱은 안 당하고 안전하게 여행할 수 있다~ 할만한 기본적인 이집트 정보와 이야기를 담았다. 이집트의 수도이자 대표도시 카이로(CAIRO)를 여행하며 실제 호갱과 사기는 기본옵션으로 산전수전 끝에 체득한 고급정보이자 뇌피셜 꿀팁이다. 이제까지 이집트 자유여행을 망설였다면 이젠 그만 망설이자! 미리 알고 가면 이색여행지로서의 이집트를 충분히 즐길 수 있다. 연인이나 친구와 함께, 아니면 혼자라도 좋다. 아, 의외로 신혼여행으로도 정말 괜찮다. 누구와 함께 하는 어떤 여행이든 간에 자유롭게 이집트를 활보할 여행자들을 상상하며 나의 경험과 노하우가 도움이 되었으면 좋겠다. 안전하고 즐거운, 그리고 특별한 이집트 자유여행이 되기를 바라며,

앗쌀람 알라이쿰!

이집트 여행의 시작

프롤로그

인생에 한 번쯤은 꼭 봐야만 하는 것들이 있다. 그런 걸 우린 흔히 버킷리스트라고 부르곤 한다. 세계 7대 불가사의 중 하나인 이집트의 피라미드는 나의 버킷리스트 중 하나였다. 유럽의 웅장한 성당이나 동남아의 휘황찬란한 사원들은 나라마다 디테일이 조금씩 다르기는 해도 이 나라 저 나라에서 비슷한 것들을 볼 수 있다. 하지만 이집트의 피라미드는 오직 이집트에서만 볼 수 있기에 언제가 될지는 모르겠지만 언젠가는 갈 수 있기를 바라며 버킷리스트의 한 칸을 이집트로 채워 놓았다. 세상은 넓고 갈 곳은 많아 과연 이집트 칸을 지울 수 있을까 싶었는데 뜻밖에도 신혼여행으로 지우게 되었다. 여행 인프라도 잘 갖추어져있지 않고 여행자들 사이에서 '리틀 인도'로 불릴 만큼 여정도 여행도 고된 여행지로 정평이 나있어 아직까지는 주로 패키지를 이용해 가곤 하는 이집트를 순수 자유여행으로 다녀왔다. 역시나 소문대로 쉽지만은 않았지만 소문과 달리 너무 재미있고 즐길 거리가 많았다. 알고 보면 사람들도 다 순수했고, 얼핏 무질서해 보여도 그 안에 규칙이 있었다. 이집트도 우리와 똑같은 사람 사는 곳이었다.

기자 대피라미드

카이로 시내

최초의 나라 이집트

이집트 기본정보

이집트는 메소포타미아, 인더스, 황하와 함께 세계 4대 문명의 발상지 중 하나로 아프리카 대륙 북동쪽에 위치해 있다. 경도상 우리나라와 약 105도 차이, 시차는 7시간 느리다.(경도는 15도에 1시간 차이) 면적은 한반도의 4.5배로 세계 30위 수준이지만 국토의 대부분인 약 95%가 척박한 사막에 속해 있어 대부분의 인구가 나일강을 중심으로 모여 산다. 인구는 우리나라의 약 2배. 아프리카에서 나이지리아, 에티오피아에 이어 세 번째로 많다.

나일강이 시작되는 이집트 남쪽을 상(上)이집트, 북쪽을 하(下)이집트로 구분하는데 인구의 절반 이상이 수도 카이로가 있는 하(下)이집트에 거주하고 있어 실질적인 거주 면적당 인구밀도는 세계에서 가장 높다. '이집트 아랍 공화국'이라는 공식 국호에서 알 수 있듯 언어는 아랍어를 쓰고 종교는 90% 이상이 이슬람교다. 하여 대부분이 이슬람교를 믿는 이집트인이고 이외에 소수민족으로는 초기 기독교 분파인 콥트교를 믿는 콥트인, 아랍계 유목민인 베두인, 누비아인, 시와인이 있다.

문명의 발상지답게 이집트는 몇 가지 재미있는 세계 최초 타이틀을 가지고 있다. 당시의 이집트는 워낙 부유한 제국이었기에 사유재산을 지키기 위한 수단으로써 잠금장치가 개발

피라미드 안 벽화에서
고대 이집트인들의 생활상을 엿볼 수 있다

되었다. 이것이 오늘날 집집마다 설치되어 있는 도어록의 시초다. 또한 이집트 문명이 탄생할 수 있었던 가장 핵심적인 이유라 할 수 있는 나일강의 범람 주기를 계산하기 위해 최초로 태양력을 만들었는데, 현재 우리가 1년을 365일로 살고 있는 달력과 동일하다. 이외에도 고대 이집트인들의 생활상이 잘 묘사되어 있는 무덤 속 여러 벽화에 의하면 히에로글리프라는 상형문자를 사용했고, 도둑을 잡는 지금의 경찰과 같은 역할을 하는 사람도 있었고, 대표작물인 밀과 보리를 이용해 빵과 맥주를 만들었다. 문명의 발상지이기에 어쩌면 당연한 것이겠지만 이집트는 모든 것이 세계 최초이자 인류 최초다. 고로, 이집트는 어떤 나라냐? 한 마디로 최초의 나라다.

고대 이집트 문명의 시작

이집트 역사

총길이 6,650km. 세계에서 가장 긴 나일강. 매년 여름, 7월 중순에서 8월까지 나일강은 주기적으로 범람했다. 때문에 나일강 일대는 홍수가 나기 일쑤였고 그로 인해 강 상류의 기름진 흙이 유입되어 비옥한 땅이 만들어졌다. 고대 이집트인들은 이 비옥한 땅으로 모여들었다. 이곳에서 작물을 재배하며 풍성한 수확을 거두어 도시를 세웠다. 이것이 고대 이집트 문명의 시작이다. 무려 약 5200여 년 전의 일. 시베리아에서는 여전히 매머드가 돌아다니고 고조선에서는 단군신화가 시작될 무렵이었다.

이후 고대 이집트 역사는 크게 고왕국, 중왕국, 신왕국 시대로 구분된다. 우리가 잘 알고 있는 피라미드가 세워진 때는 고왕국 시대로 상/하 이집트 통일 후 나일강을 중심으로 풍요로운 문명을 꽃피움과 동시에 파라오의 힘이 강화되면서 본격적으로 피라미드가 만들어졌다. 최초의 피라미드로서 이집트 제3왕조의 두 번째 파라오인 조세르의 계단식 피라미드부터, 제4왕조의 파라오 쿠푸왕, 그의 아들인 카프레왕, 또 그의 아들인 맨카우레왕으로 이어지는 쿠푸왕 일가 3대가 모여 있는 기자의 대피라미드를 비롯한 수많은 피라미드들이 고왕국 시대에 건설됐다. 해서 고왕국 시대를 일컬어 '피라미드 시대'라고도 한다.

인류 최초의 계단식 피라미드, 조세르의 피라미드 (The Pyramid of Djoser)

이집트 제 4왕조 3대가 모여있는 기자의 대피라미드 (Great Pyramid of Giza)

거대한 피라미드만큼이나 번성했던 고왕국 시대는 제6왕조부터 혼란을 겪는다. 지방 귀족들이 파라오의 권위를 위협하는 동시에 갑작스러운 가뭄으로 나일강의 수위가 낮아지면서 기근이 찾아오고 민심까지 흉흉해져 왕권이 무너진다. 이렇게 고왕국 시대는 저물어가고 중왕국 시대로 넘어가기 전 혼돈의 과도기가 찾아오는데, 이 시기를 이집트 제 1중간기라 부른다. 이때 70일 동안 70명의 파라오가 있었을 정도로 왕권은 약화되고 정세도 심히 혼란스러웠다. 혼란기는 약 150여 년간 이어졌고 제11왕조의 파라오인 멘투호테프 2세가 상/하 이집트를 재통일하면서 비로소 중왕국 시대로 넘어가게 된다. 중왕국 시대는 오랜 혼란기 이후 찾아온 안정기로 왕권을 강화하는 동시에 문화 예술 발전에도 심혈을 기울이며 내실을 다졌다. 이러한 노력으로 다음 시대인 신왕국 시대에 들어서 이집트가 다시 한번 번영하게 되는 발판이 되었다.

신왕국 시대는 고대 이집트 역사에 있어 가장 번영한 시기다. 역사상 가장 넓은 땅을 가지기도 했거니와 높은 수준의 경제와 기술로 '이집트 제국'이라 불릴 만큼 황금기였다. 대표적인 여성 파라오 하트셉수트, 소년왕 투탕카멘, 이집트 역사상 가장 강력한 파라오 람세스 2세 등이 모두 신왕국 시대를 풍미한 파라오들이다. 또한 아부심벨, 카르나크 대신전, 하트셉수트 장제전과 같이 역사적으로 의미가 깊고 유명한 많은 고대 이집트 신전과 건축물들도 신왕국 시대의 작품이다. 강력한 파라오의 통치 아래 영원할 것만 같던 신왕국도 제20왕조에 들어서 다시 약해진다. '최후의 위대한 파라오'라 불리는 람세스 3세가 사망한 이후, 뒤를 이은 파라오들이 제힘을 발휘하지 못하여 왕권이 무너졌고 결국 제20왕조가 계속 이어지지 못했다. 그렇게 장작 500년에 걸친 신왕국도 역사 속으로 사라지면서 고대 이집트 문명의 역사는 막을 내렸다.

사카라 멤피스박물관에 전시된 람세스 2세의 석상

무슬림의 나라 이집트

이집트 종교

이집트는 인구의 90%가 이슬람교, 10%는 기독교다. 이슬람교 신자는 대부분 수니파이고 기독교 신자 대부분은 현지 전통 기독교인 콥트교나 19세기에 들어온 개신교를 믿는다. 대표적인 이슬람 국가지만 역사적으로는 기독교가 이슬람교 보다 먼저다. 고대 이집트 신왕국 시대 이후, 페르시아인의 침략, 고대 그리스의 알렉산더 대왕의 정복, 프톨레마이오스 왕조 시대를 거치며 로마제국에 병합되어 1세기경 기독교가 처음으로 전파되었다. 7세기까지 기독교의 강세가 유지되었다. 하지만 로마제국 이후 이집트에 대한 패권을 넘겨받은 비잔티움 제국이 아랍계 무슬림들의 침공에 이집트를 점령당하면서 수니파 이슬람교가 전래되었다. 그럼에도 대부분의 이집트인들은 여전히 기독교를 믿었지만 세월이 흐르면서 점점 이슬람교로 개종하는 사람들이 늘었고, 12세기 말경 결국 이슬람교도가 기독교도 보다 더 많아지게 되었다. 이후 이슬람교도, 즉 무슬림들은 점차 사회 전반에 퍼져 지도 세력으로 자리 잡았고 현대에 들어와서는 안와르 사다트 대통령 때 이슬람교가 국교로 지정되었다.

카이로 시내 곳곳에서 모스크를 쉽게 볼 수 있다

어서 와, 이슬람은 처음이지?

이집트 생활문화

이슬람 문화라 하면 이질적이고 폐쇄적인 이미지가 강해 막연하게 부담스럽거나 거부감이 느껴질 수도 있다. 우리 입장에서는 일반적이지 않은 문화이겠지만 그들에게는 익숙하고 당연한 문화이기에 이집트를 더 풍성하고 수월하게 여행하고 싶다면 그들의 문화를 존중하는 마음으로 여행 전 이슬람 문화에 대해 파악하고 갈 필요가 있겠다.

이슬람교도인 무슬림이 전체 인구의 대부분인 만큼 이집트 사람들은 종교와 생활에 구분 없이 종교법과 관행에 따라 전반적인 생활을 규율한다. 가장 일반적인 규율은 하루에 다섯 번, 정해진 시간에 기도를 하는 것. 기도는 실내외, 상황을 가리지 않는다. 가게 안에서도, 피라미드나 스핑크스 같은 유적지에서도, 심지어 사막 한가운데서도 시간이 되면 그 자리에서 신이 계시는 방향을 바라보며 기도를 한다. 이집트를 여행하는 동안 때가 되면 어디에서든 기도를 올리는 이집션들을 쉽게 마주칠 수 있다.

전반적인 이집트의 생활문화는 카이로와 그 외 지역의 차이가 크다. 지방 소도시나 작은 마을의 경우 이슬람의 전통이 짙게 드러나지만 수도인 카이로와 같은 도시는 이슬람 문화가 상대적으로 덜 지배적이다. 결혼문화로 예를 들면, 보통 무슬림들은 17세~18세에 결혼을 하게 되는데 우리 표현으로 시골이라 할 수 있는 지방 소도시나 작은 마을에서는 시어머니가 며느리를 선택한다. 그리고 결혼 후 온 식구가 다 같이 한 집에서 산다. 1층이 시부모, 2층이 자식내외. 층은 달라도 식사는 모여서 다 같이 하는데 이때 요리는 신부가 해야 한다. 반면에 카이로와 같은 도시에서는 남자가 선택이 가능하고 결혼 후 부모님과도 따로 산다. 때문에 시골 사람들은 도시 사람들에 비해 결혼을 일찍 하는 편이고, 도시 사람들은 남자, 여자 모두 서로 재고 따지며 연애하느라 시골 사람에 비해 늦게 하는 편이다.

또한 이집트에서는 합법적으로 한 명의 남자가 4명의 여자와 결혼할 수 있다. 즉, 일부다처제라는 말. 다처를 가질 경우 일부는 다처에 대한 대우를 평등하게 해야 한다. 옷을 하나 산다면 같은 가격의 옷을 모든 부인에게 똑같이 선물해야 한다. 함께 보내는 시간 또한 공평하게 나누어야 한다. 때문에 일부다처제라고는 하나 실질적으로는 경제적인 여유가 있는 사람들만이 가능하며 실제 일부다처를 선택하는 사람은 10명 중 1명 정도로 그리 많지 않단다.

이집트의 새로운 한 주는 일요일에 시작된다. 평일의 끝은 목요일이고 금요일, 토요일이 주말이다. 우리나라와는 요일체계가 다르므로 여행 중 휴무 요일을 미리 파악해 두는 게 좋

스핑크스 사원 청소 중 기도를 드리는 미화원

다. 퇴근 후에는 우리나라와 마찬가지로 개인 여가시간을 보내는데 종교적으로 술을 금하는 분위기다 보니 사람들끼리 모이면 물담배를 피우거나 차를 마시며 시간을 보낸다. 방식은 다르지만 이집트 사람들도 이슬람 문화 속에서 그들의 삶을 살아가고 있다.

결제는 이집트 파운드로
팁은 달러로

이집트 화폐

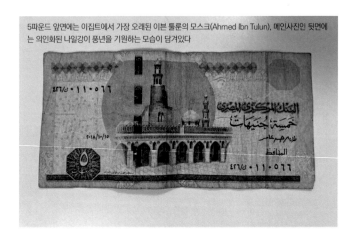

5파운드 앞면에는 이집트에서 가장 오래된 이븐 툴룬의 모스크(Ahmed Ibn Tulun), 메인사진인 뒷면에는 의인화된 나일강이 풍년을 기원하는 모습이 담겨있다

이집트에는 본래 별도의 통화가 존재했지만 영국의 보호령이 된 후 1898년에 국립은행이 설립되고 영국에 의해 파운드라는 통화명이 붙기 시작하여 이때부터 이집션파운드(Egyptian Pound)를 사용하게 되었다. 국제 규격은 EGP. 약칭은 LE. 1EGP는 한화로 약 28.71원(2024년 6월 기준) 정도. 주로 사용되는 주화는 1EGP, 지폐는 1, 5, 10, 20, 50, 100, 200EGP 등이 있다. 주화와 지폐가 공용으로 쓰이나 소액권 지폐는 유통기한이 있어 지폐보다는 주화가 더 많이 통용된다.

여행 중에는 이집션 파운드 외에도 달러나 유로도 일부 사용 가능한 경우가 있다. 투어에 참여할 경우 대개 투어비용은 당일 날 현장에서 지불을 하게 되는데 이때 달러로 지불한다. 또한 이집트에는 팁 문화가 있는데 만약 이집션파운드가 없을 경우 달러로 지불해도 무방하다.

이집트에서 뚜벅이로
이동하는 법

이집트 교통

이집트 교통수단으로는 택시, 버스, 지하철, 기차, 항공 등이 있다. 그중 여행자가 가장 쉽고 편하게 이용할 수 있는 수단은 역시 택시. 단, 호객이 심하기 때문에 무턱대고 이용해서는 안 된다. 미터기를 이용할지 아니면 애초에 가격을 정할지 협상 후에 이용하기를 권장한다. 근데 이마저도 무의미한 경우가 있다. 화장실 갈 때와 나올 때 마음 다르다고 목적지 도착 후 딴소리를 하는 기사들이 있다. 따지려 해도 대부분의 기사들이 영어를 못하다 보니 소통이 힘들다. 이런 위험부담을 없애기 위한 방안으로 우버(Uber)를 강력히 추천. 예약 시 정해진 가격으로 거래가 되기 때문에 협상이나 실랑이를 벌일 필요가 없다. 크게 현금과 카드, 두 가지 결제 방식이 있는데 가급적 카드 결제를 이용하자. 현금 사용 시 일반 택시와 마찬가지로 도착 후 딴마음을 먹는 기사들이 있을 수도 있고, 잔돈이 없을 경우 거스름돈을 받지 못할 수 있기 때문. 카드로 하면 목적지 도착 후 운전기사가 운행 종료 누르면 자동으로 기존에 책정된 금액으로 결제된다.(만약 이동 간 발생한 통행료 같은 것들이 있다면 총금액에 자동으로 추가 합산된다.)

대중교통인 버스와 지하철은 외국인이 이용하기에는 언어, 문화 차이(지하철에 여성전용칸이 따로 있다) 등의 이유로 이

이집트 지하철 (사진출처 @Unsplash - Omar Adel)

용이 쉽지 않을 수 있으니 경험해 보고 싶다면 한두 번쯤이야 괜찮지만 비추천이다. 특히 버스의 경우 마이크로버스라고 해서 일반 승합차에 여러 사람이 끼여 타는 차가 있는데 정해진 정류장이 있는 것도 아니고 도로 한복판에서 내리고 타는 방식이라 혹시나 도전을 해 보려거든 다소 위험과 불편을 감수할 마음의 준비가 필요하겠다.

장거리 이동에는 주로 고속버스, 기차, 비행기를 이용한다. 가장 편리한 건 단연 비행기. 이집트 국내 항공사로 이집트에어가 있다. 카이로에서 룩소르까지 1시간 10분, 아스완까지 1시간 30분, 후르가다까지 1시간 정도 소요된다. 편하고 빠른 만큼 비용은 가장 비싸므로 다소 부담이 된다면 기차나 버스를 이용하자. 기차는 클래스에 따라 등급이 나누어져 있지만 에어컨 유무 말고는 대체로 비슷비슷한데 1등석이 우리나라 새마을호 수준. 누워서 갈 수 있는 슬리핑 기차도 있는데 클래스 중 가장 높은 등급이라고 보면 된다. 아침, 저녁 포함에 간단한 세면, 핸드폰 충전 등의 시설이 있다 보니 운임요금이 싸지는 않은 편. 슬리핑 기차만의 감성을 느끼고 싶은 게 아니라면 비용적으로나 시간적으로나 차라리 비행기를 타는 것이 더 낫다. 기차 못지않게 많이 이용되는 고속버스는 고 버스(Go Bus) 앱이나 홈페이지에서 미리 원하는 일정, 장소에 따라 예매를 하면 된다. 역시나 등급이 있고 낮은 등급의 경우 좌석 컨디션이 좋지 않을 수 있으니 염두에 두자. 보통 카이로에서 후르가다까지 7시간, 다합까지는 8시간 정도 예상시간으로 나와 있으나 중간에 검문소들을 통과해야 해서 실질적으로는 훨씬 더 걸리는 경우가 많으므로 일정을 고려해 시간적인 여유를 두고 이용하는 것이 좋겠다.

Go Bus Egypt (사진출처 @WIKIMEDIA COMMONS – Abdelrhman 1990)

여행의 일환으로서 현지인의 삶을 체험해 볼 목적이 아니라면 뭐 타고 갈까 복잡하게 고민 말고 비용을 조금 더 들여서라도 시내에서는 우버 택시를, 장거리 이동 시에는 비행기 이용을 추천한다. 자고로 이동이 편해야 여행도 편해지는 법이니까. 물론 선택은 각자의 몫.

- **이집트에어** www.egyptair.com
- **슬리핑 기차**
  www.wataniasleepingtrains.com/Inquiry
- **고버스**(Go Bus) go-bus.com

이집트에서는 상시
온라인 상태여야 한다

이집트 통신

이집트 자유여행 시 유심칩 구매는 필수다. 영어가 아주 안 통하는 것은 아니지만 대개는 아랍어를 사용하다 보니 언어 장벽에 자주 부딪히게 된다. 이럴 때 필요한 건 바로 번역기. 마찬가지로 택시를 탔을 때도 우버앱을 이용하는 게 호갱이 되거나 사기 맞을 확률이 적다. 무엇보다 일행이 있다면 떨어 져 있을 때에도 서로 자유롭게 연락을 할 수 있어야 하고, 혼 행일 경우에도 맵으로 내 위치를 실시간으로 파악할 수 있어 야 안전 확보와 비상시 대사관이나 경찰에 도움을 요청할 수 있다. 때문에 항시 핸드폰이 온라인 상태로 있는 것이 좋다.

유심은 보다폰(Vodafone)과 오렌지(Orange)가 대표적이다. 회사마다 상품 구성 대비 가격이 다르니 비교 후 본인의 데이 터 사용량을 고려해 원하는 걸 구매하면 된다. 통신 성능에 차이가 있다는 후기들이 있는데 보다폰을 사용해 본 결과 바 하리야 사막에서 안 터지는 걸 제외하고는 이집트 어디에서 도 잘 터졌다. 속도는 우리나라를 따라갈 수야 없지만 답답함 을 느낄 정도는 아니었다.

유심 구매 시 주의할 점, 첫째는 반드시 데이터가 제대로 들 어왔는지 확인할 것! 직접 경험해 보지 못했지만 여행자들 사 이에서 간혹 제대로 넣어주지 않는 경우가 있다 하니 유심 교 체 후 직원에게 요청해 현재 들어온 데이터를 확인하고 길을

공항에 도착하면 유심부터 구매하자

나서자. 두 번째는 비용 지불 시 현금이라면 금액을 딱 맞춰
서 줄 것! 이집트의 흔한 돈 떼먹기 수법 중 하나인데 잔돈이
없다며 거슬러 주지 않는 경우가 있다. 또한 금액을 맞춰 줄
때는 꼭 지폐를 한 장 한 장 보는 앞에서 세면서 주도록 하자.
미리 금액을 맞춰 준비해 돈뭉치로 주면 받고 나서 밑장 빼기
후 돈이 부족하다며 더 달라고 요구하는 경우가 있다. 돈을
준비할 때는 확실하게 셌더라도 익숙하지 않은 외화인데다
막상 상황이 닥치면 당황한 나머지 순간적으로 기억이 긴가
민가할 수 있고, 분명 제대로 지불했다 하더라도 본인은 끝까
지 못 받았다며 배 째라는 식으로 나오면 어쩔 수 없이 더 주

는 수밖에는 없다. 실제 경험담인 건 안 비밀. 참고로 데이터 용량은 9박 12일 동안 26GB로 여행 내내 실시간으로 인스타그램에 사진이나 영상을 올릴 수 있을 만큼 넉넉했다.

이집트, 혼자 가도 괜찮을까?

이집트 치안

사람마다 체감도가 다를 수 있지만 이집트는 대체로 위험하지는 않다. 사람들이 몰리는 관광지는 물론 거리 곳곳에 경찰들이 배치되어 있어 삼엄하게 느껴질 수 있으나 그렇기에 안심할 수 있는 부분도 있다. 다만 항시 호객꾼들이 들러붙는다. 특히 피라미드 주변은 어른은 물론이거니와 아이들까지 호객에 합세해(아이들이 더 집요하다) 거절하고 피하느라 지칠지도. 아무래도 혼자보다 여럿이 있으면 관심이 분산되어 덜 피로하고 덜 스트레스 받을 수 있기에 혼행보다는 함께 하는 여행이 편할 수 있다. 만약 혼행이라면 현지에서 동행을 만들어 함께 다니는 것도 방법이다.

라마단을 앞둔 기자의 밤거리

카이로 시내는 피라미드 주변만큼 호객꾼이 붙지는 않는다. 다만 거리를 다니다 친근하게 말을 걸어온다거나 호의를 베푸는 사람과 만난다면 경계할 것! 이집트 스타일의 호객꾼으로 선 호의를 베풀어 공감대와 친근감을 형성한 뒤 정부기관에서 인증번호가 있는 가게를 가야 한다며 친히 안내까지 해준다. 어디로? 근처 기념품 가게로. 막상 가면 다소 비싼 편. 그렇다고 강제로 구매시키지는 않으니 만약 원하지 않으면 찾는 물건이 없다 하고 나오면 된다.

결론적으로, 이집트는 혼자 가도 괜찮다. 다만 함께 하는 사람이 있다면 한결 더 수월한 여행이 될 수 있을 것이다.

현지인들로 붐비는 거리에서는 긴장을 놓지 말자

이집트 로컬푸드, 먹을만해?

이집트 음식

이집트 음식은 대체적으로 한국 사람의 입맛에 잘 맞는 편이다. 이슬람 문화로 인해 돼지고기는 먹지 않는 대신 우리에게도 익숙한 닭, 양, 소고기 등을 활용한 육류 요리들이 있어 어느 식당을 가도 먹을 수 있는 게 없어서 못 시키는 불상사는 거의 없다. 한국의 김치처럼 메인 요리와 곁들여 먹을 수 있는 절인 음식도 있는데 그중 몇몇은 호불호가 갈리기도 한다. 그렇다고 비주얼만 보고 섣부른 판단은 금물! 비주얼과 맛이 반비례하는 경우도 있으니 한 젓가락쯤은 일단 도전해보자. 뭔가 맛이 부족하다거나 이상하다 싶으면 한국의 맛을 첨가하는 것도 방법이다. 예를 들면, 마법의 가루 라면 수프나 불닭볶음면 소스 같은 걸 킥으로 넣어주면 한국적인 감칠맛이 돌면서 이집트-한국 퓨전 음식으로 재탄생된다. 단, 모든 음식에 항상 성공하는 레시피는 아니니 확신이 없다면 처음에는 소량만 첨가해 맛을 본 후 괜찮으면 추가로 첨가하도록 하자. 자고로 울 엄마 가라사대, 한 끼를 먹어도 맛있게 먹으라 했다.

[이집트 대표 음식 5가지]

1. 에이쉬 (Aysh)

이집트 사람들이 주식으로 먹는 화덕에 구운 빵. 인도의 난 (Naan)과 비슷하다. 주식인 만큼 이집트 거리나 골목 어디에서나 흔히 볼 수 있고 웬만한 음식점을 가도 기본 애피타이저로 나온다. 식감은 부드럽고 쫀득하다. 맛은 그냥 먹으면 담백한데 보통은 빵 안에 여러 가지 재료로 만든 다양한 종류의 소스와 토핑을 입맛대로 넣어 샌드위치처럼 먹는다.

바하리야 어느 마을의 에이쉬 가게

2. 코샤리 (Koshari)

에이쉬와 함께 이집트 사람들의 주식으로 여겨지는 음식으로 쌀, 병아리콩, 튀긴 양파, 마카로니, 토마토소스를 곁들여 먹는다. 우리나라로 치면 비빔밥과 같은 음식. 때문에 우리나라 사람들에게 특히 잘 맞는 이집트 음식 중 하나다.

사막투어 중 먹었던 가정식 코샤리

3. 코프타 (Kofta)

코프타를 한 마디로 표현하면 소시지 모양으로 만든 고기산적 같은 미트볼이라고나 할까? 소고기나 양고기를 이용한 다진 고기에 갖은양념, 양파와 마늘을 넣고 뭉친 후 굽는다. 맛은 고기산적이나 육전에 가깝다. 한 입 베어 물었을 때 입안 전체로 퍼지는 육즙이 일품. 감히 장담컨대 우리나라 사람들에게 호불호가 없을 맛이다.

어묵이나 핫바 같기도

4. 팔라펠 (Falafel)

이집트 사람들이 아침식사로 즐겨 먹는 음식인 팔라펠은 병아리콩과 렌즈콩으로 동그랑땡이나 크로켓처럼 동글납작하게 만들어 튀긴 요리로 따메야(Taameya)라고도 부른다. 건강한 단백질인 콩이 주재료라 대표적인 이집트 건강식이다. 식감은 겉바속퍽(겉은 바삭 속은 퍽퍽)이라 음료나 물과 함께 먹을 것을 추천. 맛은 고소하고 담백하다. 바쁜 아침에 간편하지만 든든하게 먹기에 딱 좋은 음식. 기호에 따라 에이쉬에 토핑으로 넣어 먹기도 한다.

바삭하고 고소한 맛이 일품, 게다가 은근 든든하다

47

5. 렌틸 수프 (Lentil Soup)

실제로 이집트 레스토랑 어디를 가든 에이쉬와 함께 꼭 나왔던 수프. 렌틸콩으로 만든 수프다. 적당량의 라임을 짜서 먹으면 되는데 라임을 많이 넣으면 너무 시큼털털해질 수 있으니 대충 한 번만 짜낸다 생각하고 적당히 넣자. 무슨 맛에 먹는 건지 잘 모르겠다면 불닭볶음면 소스 한 스푼 추가할 것. 어쩌면 한 그릇 더~ 를 외치게 될지도.

수프 안에 감춰진 건더기 비주얼을 본다면 쉽지 않을 수도

이집트에서 물보다 진한

생명수 구하기

이집트 술

이슬람 문화권인 이집트는 술을 구하기가 쉽지 않다. 동네 슈퍼마켓에는 당연히 없고 레스토랑도 팔지 않는 곳이 많다. 그럼 이집트에는 술이 없느냐? 그건 아니다. 일단 4~5성급 이상의 호텔이나 리조트 같은 고급 숙박시설에는 당연히 있다.(단, 가격이 다소 비싸다.) 일반 음식점이나 레스토랑의 경우에는 케바케라 방문 전 주류 판매 여부를 미리 확인해 보는 게 좋다.

또 하나의 방법으로는 리커숍을 이용하면 된다. 리커숍이 우리나라 동네 편의점만큼 여기저기 있지는 않지만 검색해 보면 그래도 동네 곳곳에 숨어있다.(기자와 카이로에서 각각 1

메이스터 맥스, 스텔라

사카라 (10%)

50

곳씩 가봤다.) 혹 리커숍 거리가 멀거나 주변에 없다면 배달로 구매할 수 있는 방법도 있다. '드링키스(Drinkies)'를 통해 전화나 온라인 또는 앱에서 주문하면 어디든 배달이 온다. 라인업도 맥주, 보드카, 위스키, 럼, 와인, RTD까지 다양하다. 드링키스는 오프라인 매장도 곳곳에 운영하고 있으니 마찬가지로 검색해서 찾아가도 좋겠다.

아이러니하게도 이집트는 현재는 이슬람 문화라 술을 금하고 있지만 세계 최초로 *맥주를 만들어 마신 나라다. 바로 고대* 이집트 때부터 맥주를 만들어 마신 것. 맥주의 시초라 할 수 있는 이집트의 로컬 맥주로는 스텔라(흰색 스텔라 아님),

사카라(15%)

룩소르

룩소르, 사카라, 메이스터 맥스 등이 있다. 모두 우리나라와 비슷한 청량감이 좋은 라거 스타일의 맥주인데 일부는 도수가 일반적인 맥주보다 높다. 메이스터 맥스가 8%, 사카라는 종류에 따라 4.0%(사카라 골드), 10%, 15%짜리가 있다.(참고로 스텔라는 4.5%, 룩소르는 4%다.) 본인의 주량과 취향에 따라 골라 마시면 된다. 경험상 10%까지는 맥주 같으나 15%는 보리맛 소주 같은 느낌.

만약 여행할 때 1일 1맥주(혹은 술)를 꼭 해야 하는 애주가라면 꼭 미리 리커숍이나 드링키스, 그리고 술을 파는 레스토랑을 찾아 놓자. 본래 목마른 건 참아도 술 고픈 건 못 참는 법이니까.

- **드링키스**
  www.drinkies.net
  @drinkiesegypt

이집트를 기념하고 싶다면

이집트 쇼핑

여행에서 기념품을 빼놓을 수는 없다. 보통 현지에서 나고 만들어지는 특산품이나 현지 유명 브랜드를 사곤 하는데 이집트의 대표적인 특산품이라 하면 히비스커스차와 파피루스 정도가 있겠다. 이집트 미의 여신인 '히비스'와 그리스어로 '닮았다'라는 뜻의 '스커스'의 합성어인 히비스커스차는 고대 이집트부터 클레오파트라가 즐겨 마신 걸로 잘 알려져 있다. 이집트에서는 신성한 꽃으로 여겨져 미라 방부제에도 쓰였다는 설도 있다. 특별히 유명한 차 브랜드가 아니어도 마트에서 티백 제품을 사도 충분하다. 파피루스는 본래 나일강 상류 습지에서 자라는 식물이지만 그 효용성이 다양해 고대 이집트인들이 다방면으로 활용을 했다. 작은 새순이나 가지는 식용

히비스커스 티

으로 쓰이고, 말린 뿌리는 태워서 연료로 쓰고, 꽃 자체로서 장식으로 쓰기도 했다. 이 외에도 파피루스로 종이를 만들어서 썼는데 이것이 오늘날의 파피루스 기념품이다. 한 마디로 고대 이집트 종이. 이쯤에서 소름 돋는 사실 하나, Paper의 어원이 바로 라틴어 파피루스(papyrus)다.

특산품 말고 살만한 것들은 흔히 말하는 예쁜 쓰레기인 조각상이나 모형들이 있다. 피라미드, 스핑크스, 파라오, 아누비스 등 딱 보면 이집트가 떠오를 것들이다. 실용성만 보자면 아무짝에 쓸모없겠지만 그래도 이집트를 기념하고 싶다면 취

파피루스(@Unsplash – Lea Kobal)

향껏 사보는 것도 좋겠다. 실용적인 것을 원한다면 역시 이집트 전통의상이 최고. 기념으로 소장하기에도 좋고 여행중 입고 다닐 수 있어 더 좋다. 전통의상으로 이집션이 되어보자. 모름지기 인생숏의 완성은 패션이다.

쇼핑은 가능하면 정찰제 숍에서 하기를 추천한다. 정찰제가 아닌 곳에서는 반드시 흥정을 해야 하기에 부담스럽고 피곤할 수 있다. 이집트 물가가 저렴한 편이기는 하나 싸다고 한두 가지 집어 장바구니를 채우다 보면 어느새 무시 못 할 금액이 되어 있을 수 있으니 계산대로 가기 전에 스스로 사전 정산을 한번 하도록 하자. 또한 일정 금액 이상 시 할인 쿠폰을 주는 프로모션 같은 것들이 있을 수 있으니 꼼꼼히 체크해 볼 것. 행사를 하고 있어도 이집트 상인들은 미리 알려주지 않으니 알아서 찾아 먹어야 한다. 정찰제 숍이라고 흥정이 아예 안 되는 것은 아니다. 잘 이야기하면 일반 가게들만큼은 아니더라도 정(情)으로 조금 더 깎아 주기도 한다. 단, 정찰제 숍에서는 너무 집요하게 깎지는 말 것! 우리 모두 품위 있는 대한민국 문화시민이니까.

이집트 뭐 타고 가지?

직항? 경유?

이집트 여행준비 : 항공권

2022년 8월 이전까지 이집트는 외교부 여행경보 중 '여행자제' 지역에 속해 있었다. 하여 당시까지는 이집트 전세기 운항이 중단된 상태였다가 8월 이후 '여행유의'로 완화되면서 국내 항공사인 대한항공과 아시아나항공에서 전세기 운항을 재개했다. 단, 전세기는 여행사 연계 상품으로만 이용이 가능하다. 고로 이집트로 가는 직항은 패키지여행으로만 이용할 수 있다는 말. 아쉽게도 자유여행으로는 간다면 직항은 없다. 최소 1회 경유 필수. 항공편은 대한항공, 에메레이트, 터키, 카타르, 에티하드, 사우디, 폴란드 항공이 있고 경유지는 각 항공편에 따라 두바이, 아부다비, 이스탄불, 도하, 제다, 바르

두바이 국제공항

카이로 국제공항

샤바를 들르게 된다. 인천에서 카이로까지는 보통 노선에 따라 약 13시간~18시간 반 정도가 소요된다. 경유 대기시간 포함이다. 경유 대기시간은 경유지와 항공 스케줄에 따라 다르지만 약 2~3시간 정도 대기시간이 있다. 때문에 항공권 예매 시 여정과 가격, 대기 시간 등을 고려해 여행 일정과 본인의 성향에 가장 적합한 스케줄로 예매하자.

곧 죽어도 뷰 vs 포근한 하얀 이불

이집트 여행준비 : 숙소

이집트스러운 숙소란 어떤 숙소일까? 고대 이집트 상형문자인 히에로글리프가 벽화로 그려져 있고 곳곳마다 피라미드, 스핑크스 등 이집트를 상징하는 인테리어 소품들이 비치되어 있는 숙소? 이런 숙소라면 아마 방에만 있어도 이집트에 있다는 걸 실감하기에 충분하겠지만 뭐니 뭐니 해도 피라미드를 두 눈으로 직접, 그것도 침대에 누워서 볼 수 있다면 이보다 더 이집트스러운 숙소는 없을 것이다. 곧 죽어도 뷰가 중요한 여행자라면 무조건 피라미드 근처로 잡자. 방 안 창문으로도 피라미드의 웅장함을 그대로 느낄 수 있고 대부분 루

기자의 피라미드뷰 숙소

소피텔 카이로 나일 엘 게지라

프탑이 있어 피라미드를 보며 식사나 스낵을 즐길 수도 있다. 단, 대부분이 3성급 이하이다 보니 룸컨디션은 다소 떨어지는 편. 수많은 관광객들이 오가는 주변이다 보니 호객꾼도 많고 시끄럽다. 오로지 피라미드뷰 하나만을 원해서 가는 거라면 OK. 반면에 난 꼭 포근한 하얀 이불에서 자야해! 라고 한다면 피라미드에서 조금만 멀어지자. 피라미드가 작게 보일수록 숙소 컨디션은 좋아진다.

이집트 숙소에 대한 디테일한 정보는 찾기 어려운 편이라 컨디션을 잘 모르겠다면 브랜드 숙소를 이용하는 것도 방법. 어딜 가나 브랜드는 기본빵은 하니까. 수도 카이로에는 나일강 주변으로 브랜드 호텔들이 많다. 다소 비용부담은 있겠으나 깔끔한 컨디션은 보장된다. 황홀한 나일강 나이트뷰는 덤.

아스완, 룩소르, 아부심벨 등 다른 지역 숙소도 상황은 비슷하다. 나일강뷰를 품은 숙소는 가격이 높은 대신 시설과 컨디션이 좋고 육지로 들어갈수록 저렴한 대신 만족스러운 컨디션을 기대하기는 어려운 편. 후루가다와 같은 휴양지는 어딜 가나 홍해를 품은 오션뷰에다 인피니티풀 등의 시설이 잘 되어 있어 비용을 고려해 취향 따라 고르면 되겠다.

쉐라톤 소마 베이 리조트 후루가다

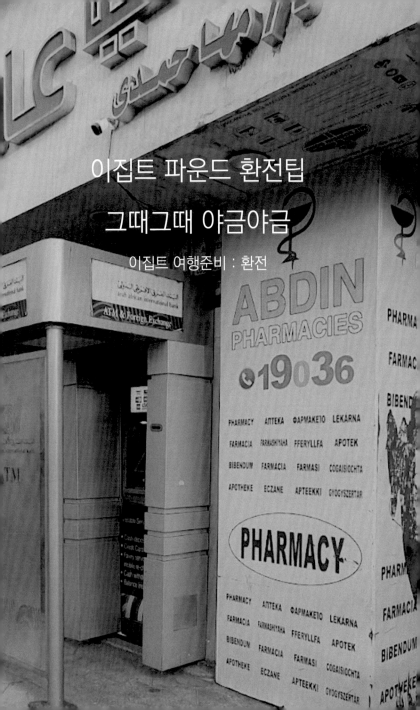

이집트 파운드 환전팁

그때그때 야금야금

이집트 여행준비 : 환전

한국에는 이집션파운드 취급은행이 없어 원화를 달러로 바꾸고 현지에서 달러를 이집션파운드로 환전해야 한다. 이집트는 은행마다 환전이 가능하고 사설 환전소와 ATM기도 곳곳에 있어 어디서든 그리 어렵지 않게 환전을 할 수 있다. 하지만 이렇게 되면 원화에서 달러로, 달러에서 이집션파운드로, 이중으로 환전수수료가 나가게 되는 셈. 게다가 이집트의 주통화는 이집션파운드지만 상황에 따라서 달러를 사용하는 것이 이득일 때도 있어서 원화를 전부 달러로 환전하지 말고 달러와 이집션파운드를 적절하게 섞어 환전하면 효율적이고 유연하게 쓸 수 있다. 우선 달러 환전은 여행 중 확실하게 달러로 지불할 비용에 비상금 정도 여유를 둔 금액이면 충분하다. 입국 시 비자 발급 비용($25), 투어 이용 시 인당 기본 비용, 팁 등이 이에 해당된다. 특히 팁용 달러는 1달러로 최소 30~50장 정도(10일 여행 기준)는 준비하자. 1달러가 적정 팁 수준인데(이집션파운드로는 10~30EGP가 적당하다.) 이집트 여행을 하다 보면 자의든 타의든 팁을 주게 될 일이 제법 많다.

나머지 여행 비용은 해외 인출 수수료가 면제되거나 낮은 체크카드를 하나 준비해 계좌에 넣어두자. 그리고 현지 ATM에서 이집션파운드로 인출하면 된다. 이게 바로 이중 수수료를

전통시장에서는 이집션파운드로 ©칼 엘 칼릴리스

피하는 팁! 여기에 팁 하나 더 얹어서 이집트는 트래블월렛 지원국가라는 것도 참고하자. 그리고 진짜 진짜 마지막으로 하나 더! 최근 들어온 소식에 의하면 박물관이나 유적지에서 이제 현금 대신 카드 Only가 많아졌다고 하니 해외결제가 가능한 신용카드(VISA/MASTER)를 반드시 챙기고 이집션파운드는 되도록 그때그때 필요한 만큼만 뽑아 쓰자. 일단 목돈을 가지고 다니는 게 위험하다는 건 국룰이거니와 이집션파운드는 남아도 이집트가 아니면 전혀 쓸 일이 없다. 비록 야금야금 자주 뽑는 게 여간 귀찮기는 하겠지만 대신 안전한 관리와 효율적인 소비를 할 수 있다.

이집트 물가는 상승 중

이집트 여행준비 : 예산

지역	유적지/투어	비용(EGP)	기타 추가요금
카이로	이집트박물관	450	핸드폰 사진 무료, 비디오 촬영 추가 300EGP
	카이로타워	250	DSLR 사용 입장료 350EGP
	시타델	450	
	기자 피라미드	540	쿠푸왕 피라미드 내부 관람 900EGP 멘카우레왕 피라미드 내부 관람 220EGP
	사카라 피라미드	450	올인클루시브 900EGP / 조세르 내부 추가 220EGP
	멤피스 박물관	150	
아스완	콤 옴보 신전	360	
	에드푸 신전	450	
	미완성 오벨리스크	200	
	필레 신전	450	
아부심벨	아부심벨 신전	600	
룩소르	카르낙 신전	450	
	룩소르 신전	400	
	왕가의 계곡	600	세티1세 무덤 관람 시 1800EGP 추가 투탕카멘 무덤 관람 시 500EGP 추가 람세스 6세 무덤 관람 시 180EGP 추가
	핫셉수트 장제전	360	
	메디나트 하부 신전	200	

이집트 각 지역별 대표 유적지 입장료 (2024년 6월 기준)

※이집트 물가가 계속해서 빠르게 오르고 있다. 실제 위 가격표도 내가 다녀온 2023년 3월 대비 (상당히) 오른 가격. 여행 계획 시 최신 블로그를 통해 가격 정보를 체크해두자.

1EGP=약 28.71원(2024년 6월 기준)으로 일반 밥집이 아닌 나름 깔끔한 레스토랑에서 식사를 해도 메인 디시 하나당 약 150~350EGP(약 4,310~10,050원) 정도 하는 것으로 볼 때 이집트 물가는 우리나라에 비하면 제법 저렴하다. 각자의 여행 스타일이 다르겠지만 조식은 숙소에서 해결하고 하루 두 끼는 밖에서 먹고 이동은 택시로, 중간에 커피 한 잔, 오다가다 기념품도 하나씩 사고 군것질도 하고 너무 인색하지 않게 팁도 준다고 쳤을 때, 2인 기준 하루에 2500EGP(약 71,900

원) 정도면 충분히 여유 있게 여행을 즐길 수 있겠다. 여기에 일정에 따라 유적지 입장료나 투어 비용 등을 추가하여 계산하면 예산 책정 완료! 참고로 유적지마다 학생증 지참 시 50% 할인되는 곳이 있으니 학생이라면 미리 확인하고 챙기자. 물가가 저렴한 만큼 여유 있게 즐기되 알뜰살뜰 챙기면 그만큼 여행의 만족도는 더 올라간다.

카이로 공항에 도착하면 가장 먼저 해야 할 일은 입국신고서 작성. 여느 나라 입국신고서와 마찬가지로 내용은 특별할 게 없다. 다만 글자도 그림도 아닌 것 같은 꼬부랑 문자에 당황하게 될 수도 있는데 다행히 그나마 친숙한 영어가 함께 쓰여 있으니 당황하지 말고 영어를 보고 그에 맞게 쓰면 된다.

다음은 비자 발급. 입국심사 전 필수로 구매해야 한다. 비용은 달러든 유로든 '25'. 즉 25달러나 25유로. 환율 상 달러로 구매하는 게 유리하니 최소한 비자 비용만큼은 미리 한국에서 준비해 오자. 또한 신용카드로도 구매가 가능하다.

비자는 스티커 형태로 여권 사증에 붙이기만 하면 된다. 입국

입국신고서와 이집트비자

심사는 까다롭지 않은 편. 비자 유무와 얼굴 정도만 확인하고 비자에 도장 꽝! 통과다. 이집트 입국 완료! 이제 짐 찾고 이집트 여행을 시작하자.

이집트, 뭐 입고 갈까?

이집트 날씨와 옷차림

대부분이 건조기후에 속하는 이집트는 사계절이 있지만 봄은 3~4월로 짧아 금세 겨울에서 여름이 된다. 때문에 크게 여름과 겨울, 두 계절을 가지고 있다고 볼 수 있다. 5~9월 말까지가 여름인데 한낮 기온이 30℃를 넘으며 6~9월은 가장 더운 시기로 38~45℃까지 오르는 무더운 날씨가 이어진다. 특히 상이집트에 속하는 룩소르, 아스완, 누비아 부근은 무려 50℃까지 오르기도 한다. 단, 습도가 30%가 채 안돼 우리나라의 여름이나 동남아처럼 푹푹 찌는 날씨는 아니다. 햇빛만 피하면 비교적 선선하다고 느껴질 정도. 대신 습도가 낮은 만큼 햇살이 매우 따갑다. 해서 이슬람교라는 종교적인 이유도 있지만 날씨 때문에라도 노출이 심한 옷보다는 긴 옷을 추천

3월 중순의 이집트 여행 옷차림

한다. 마소재 같이 통풍이 잘 되는 소재의 긴 옷, 발목까지 덮이는 롱치마가 좋겠다. 그리고 가장 중요한 한 가지, 눈 보호를 위해 선글라스와 챙이 있는 모자는 필수템이다.

무더운 여름이 지나고 9월 말이면 가을이 시작된다. 가을은 짧다. 10월 중순만 넘어가도 아침저녁으로 선선해진다. 그리고 겨울이 온다. 11월 초순경 시작해 이듬해 2월까지가 겨울이다. 겨울에는 한낮 20℃, 아침저녁으로 10℃ 안팎을 왔다갔다 해 기온차가 큰 편이다. 이 시기가 이집트를 여행하기 가장 좋은 시기다. 겨울인 11~3월. 특히 실외보다 실내가 햇빛이 없어 더 추울 때도 있으므로 입고 벗기 편한 패딩조끼

특히 햇빛이 없는 사막은 선선한 가을이다. 경량 패딩이나 내피가 있는 바람막이 필수

같은 옷들이 활용도가 높다.

요즘은 인증숏을 남기는 걸 목적으로 여행을 갈 만큼 여행에
있어 인증숏이 정말 큰 부분을 차지한다. 고로 여행의 완성은
어쩌면 패션일지도. 무작정 예쁘기만 한 옷보다는 현지 날씨
에도 잘 맞는 예쁜 옷으로 여행을 완성시켜 보자.

뭐니 뭐니 해도 인증숏에는 역시 로컬의상이 베스트

이집트 갈 때 꼭 챙길 것!

이집트 여행준비 : 필수품

이집트는 기본적으로 더운 나라다. 더운데 건조하다. 즉, 햇빛이 아주 따갑다는 말. 태양을 피하는 방법을 잘 준비해서 가야 한다. 햇빛을 가릴 수 있는 모자와 선글라스, 여기에 혹 태양을 피하지 못하더라도 내 소중한 피부를 지켜줄 수 있는 선크림과 수분크림까지 챙기면 준비 완료! 조금 더울 수는 있으나 얇은 긴 팔, 긴 바지로 햇빛에 노출되는 것 자체를 막는 것도 좋은 방법이다.

사막을 가게 된다면 배두인(사막 유목민)이 되기 위한 준비도 해야 한다. 일단 신발은 무조건 편하고 모래가 왕창 들어가도 상관없는 걸로. 샌들이나 크록스가 무난하다. 옷 역시 마찬가지. 입고 버릴 수 있는 옷이면 가장 좋다.(빨아도 모래가 생각보다 잘 빠지지 않는다.) 아니면 이집트 전통의상을 현지에서 구매해 입고 가는 것도 추천. 평소 입을 옷이 아니기에 부담 없이 막 입을 수 있고 무엇보다 사막과 전통의상은 당신을 이집트 왕자 혹은 여왕으로 만들어줄 테니까.

이외에도 환전 시 1달러를 꼭 수십 장 정도는 바로바로 쓸 수 있는 가방이나 지갑에 챙기자. 대가 없는 호의가 없는 이집션들이기에 여행하다 보면 이래저래 팁 나갈 일이 왕왕 발생한다. 이때 만약 1달러가 없거나 이집션파운드 잔돈이 없다면? 어쩔 수 없이 큰돈을 팁으로 줄 수밖에 없다. 이미 호의를 베

한국에서 온 이집트 황자(?)와 여왕

푼 이집션은 절대! 그냥 가지 않는다. 무언의 압박을 하듯 팁을 받을 때까지 미소를 유지하며 곁에 서 있는다. 떠나보내는 방법은 팁을 주는 것뿐.

마지막으로 전기 콘센트는 같은 우리나라와 같은 220V지만 간혹 2구 콘센트의 사이즈가 약간 달라 꽂히지 않는 콘센트가 있다. 멀티탭 하나 정도는 챙겨가자. 그리고 이집트 음식은 대체로 한국사람 입맛에 맞는 편이나 간혹 메뉴 선정에 실패할 수도 있으니 컵라면도 몇 개 챙기면 굶는 일은 없을 것.

이집트 여행 전 보고 가면 좋을

미디어 콘텐츠 6편

이집트 여행준비 : 읽는 거보다 보는 게 낫다

1. 갓 오브 이집트 (Gods of Egypt, 2016)

이집트 신화와 이집트의 신들의 막장 드라마 같은 관계를 가장 직관적으로 파악할 수 있는 영화. 복잡한 이집트 신들의 계보를 가장 쉽게 공부할 수 있는 방법이 아닐까 한다. 신들의 격렬한 전투 장면과 화려한 CG는 덤이니 가벼운 마음으로 보고 가면 좋겠다.

2. 이집트 왕자 (The Prince of Egypt , 1998)

성경 춤애굽기의 모세 이야기를 원작으로 한 영화. 노예로 살아가던 히브리인들을 구원하라는 신의 계시를 받은 모세가 이복형제인 람세스와의 대립 속에서 그들을 회방 하기까지의 이야기를 다루었다. 실제 이집트 역사 일부를 각색하였

으나 팩트에 기반한 내용이면서 당시 시대를 잘 묘사해 비록 애니메이션임에도 고대 이집트의 모습을 미리 엿볼 수 있다.

3. 미이라 (The Mummy, 1999/2001/2008)

영화 '미이라'로 검색하면 동명 영화 9편이 나온다. 그중 우리의 기억 속에 가장 깊이 새겨진 시리즈는 아마도 이 3편일 것이다. 현대와 고대 이집트 미라에 대한 이야기가 섞인 판타지물이지만 이집트를 흠뻑 느끼기에는 부족함이 없는, 명실상부 이집트 하면 가장 먼저 떠오르는 영화다.

4. 사카라 무덤의 비밀

(Secrets of the Saqqara Tomb, 2020)

인류 최초의 계단식 피라미드인 사카라 피라미드를 비롯해 그 일대에서 발굴된 유적과 유물에 대한 이야기를 다룬 넷플릭스 오리지널 다큐멘터리 영화다. 고고학에 관심이 있고 사카라에 방문할 예정이라면 필수! 고고학에 관심이 없고 사카라에도 방문할 계획이 없다면, 그래도 필수! 이집트에 간다면 무조건 사전 시청하고 가야 한다는 말이다. 모든 역사는 과거에서부터 이어져오기에 현재의 이집트, 특히 우리가 흔히 알고 있는 모습의 기자 피라미드를 이해하는 데 있어 큰 도움이 될 것이다.

5. 나일 강의 죽음 (Death on the Nile, 2022)

영화 제목의 '나일강'과
포스터에 있는 피라미드
사진만 보면 이집트를 통
째로 담아 넣은 영화일
것 같지만 사실상 앞서
소개한 영화들 대비 가장
이집트를 느끼기 어려운
영화다. 범죄 추리 스릴
러라는 장르적인 이유도
있지만 영화의 대부분이
크루즈 위에서 벌어지는
일들이기 때문. 초반에 반짝 나오는 기자 피라미드와 초입
부 아부심벨을 제외하고는 이집트를 느낄 수 있는 장면들은
많지 않다. 그럼에도 이집트 여행 전 봐야 할 이유가 있다면
나일강이 가져다주는 상징적인 무게감 때문이랄까? 아, 나
일 크루즈를 계획 중이라면 대충 요런 느낌이겠구나 참고하
면 좋을 듯.

6. 피라미드의 사라진 무덤

(Lost Tombs of the Pyramids, 2020)

디즈니플러스에서 방영하는 내셔널지오그래픽 다큐멘터리 시리즈 중 하나. 사실 여행을 다녀온 후에 보게 된 다큐인데 앞서 소개된 5개의 콘텐츠를 다 안 보더라도 이것만 보고 왔어도 충분했겠다 싶을 정도로 고대 이집트와 피라미드에 대한 정보가 상세하게 나온다. 피라미드 내부 구조까지 3D 그래픽으로 재구성해 보여주어 아마 본 후에 피라미드 내부를 들어갔더라면 내가 지금 피라미드 어디쯤에 있는지까지 알 수 있었을 것 같다. 러닝타임도 44분으로 그리 길지 않은 편이니 지루하지 않다. 이집트 여행 계획 중이라면 다른 건 몰라도 이 다큐만은 꼭! 꼭! 꼭! 보시길.

진짜 이집트를 보여줄게

카이로 CAIRO

타흐리르 광장(El~ Tahrir Square)

이집트 북부 나일강 근처에 위치한 카이로는 이집트의 수도이자 최대 도시다. 북아프리카에서도 가장 큰 도시라 '북아프리카의 수도'라 불리기도 하며 아랍 연맹과 같은 국제기구의 본부가 카이로에 있어 '아랍의 수도'라는 별명도 가지고 있다. 최근 별명의 새로운 주인으로 두바이가 급부상 중이지만 그래도 아직은 중동과 아프리카에서 카이로의 위상은 건재하다.

카이로 시내는 늘 사람들과 차들로 빽빽하다. 때문에 경적소리와 사람사는 소리가 끊이질 않는다. 좋게 포장하면 생기 있고 나쁘게 말하면 정신없다. 퀴퀴한 매연과 찌릿한 거리의 냄

새도 말해 뭐해?! 이게 이집트의 찐 향기다. 카이로에 발을 들인 이상 적응해야 한다. 그래야 카이로를 온전히 즐길 수 있을 테니. 쉽지 않은 여건이지만 그럼에도 꼭 가봐야 하는 카이로 여행 스폿을 소개한다. 얼추 카이로의 향기에 적응이 됐다면 이제 멘탈 잡고 밖으로 나가자. 웰컴 투 카이로.

탈랏 하브 광장(Talaat Harb Square)

이집트 박물관
(feat. 그랜드 이집트 박물관)

이집트 가볼 만한 곳 1

카이로의 중심인 타흐리르 광장(El-Tahrir Square) 근처에 위치한 이집트 박물관은 5000년 이집트 역사의 발자취를 담고 있는 이집트 최대 박물관이다. 박물관을 별로 선호하지 않는 여행자일지라도 카이로에 왔다면 이집트 박물관은 반드시 구경하고 가야 이집트에 다녀왔다 할 수 있겠다.

1층에는 미라를 담고 있던 관들이 전시되어 있다. 2층에는 투탕카멘의 유물들이 전시되어 있는데 가장 눈여겨봐야 할 건 역시 투탕카멘의 황금마스크다. 사진촬영은 불가하니 눈으로 마음으로 깊이 새겨 두도록. 이외에도 람세스 2세, 세티 1세를 포함한 11명의 파라오들의 미라 등 역사적으로 중요하고 진귀한 유물들을 약 10만점 넘게 보유하고 있다.

사실 본래 이집트 박물관은 지금보다 더 많은 유물들을 보유하고 있었는데 공간이 협소해 다 전시하지 못하고 있는 실정. 해서 이집트 정부가 2013년부터 기자 피라미드 인근에 그랜드 이집트 박물관(Grand Egypt Museum, GEM)을 짓기 시작해 곧 정식 오픈을 앞두고 있다.(*2024년 1월 기준 가오픈으로 제한적인 투어로만 관람 가능) 그랜드 이집트 박물관이 정식 오픈하게 되면 이집트 최대 박물관 타이틀은 자연스럽게 그랜드 이집트 박물관으로 넘어가게 될 터. 이를 위해 현재 이집트 박물관에 있는 핵심 유물들을 하나둘씩 그랜드 이집트 박물관으로 옮기고 있는 중이라고. 정식 오픈하는 그날 까지 이전은 계속될 것이기에 이집트 박물관이 앙꼬 없는 찐 빵이 되기 전에 다녀오는 게 좋겠다. (*2024년 1월 기준 투 탕카멘의 황금마스크는 아직 이집트 박물관에 있다.)

TRAVEL INFO

이집트 박물관 (The Egyptian Museum)

운영시간

매일 9am-17pm (티켓오피스 8:30am-16:00pm)

입장료(성인/학생) 450EGP/230EGP

※핸드폰 사진촬영 가능(무료), 비디오 촬영 시 인당 300EGP 추가

Web egyptianmuseumcairo.eg

그랜드 이집트 박물관 (Grand Egyptian Museum, GEM)

운영시간 9am-18pm (라스트 티켓 구매 16pm)

입장료(성인/학생) 1000EGP/500EGP

Web visit-gem.com/en/home

시타델 (Cairo Citadel)

카이로 가볼 만한 곳 2

카이로 성채는 중세 시대 이슬람식 성채로 이집트에서도 가장 많은 관광객으로 붐비는 이슬람 문화의 중심이다. 수니파 이슬람 술탄국인 아이유브 왕조의 통치자였던 중세 아랍 영웅 살라딘에 의해 요새화되어 살라딘 성채라고도 부른다. 12세기 때 십자군에 대항하기 위해 지어진 것으로 피라미드와 함께 카이로의 상징이다.

성채 안에는 무함마드 알리 모스크, 칼라운 모스크, 이집트 군사 박물관 등 다양한 볼거리가 있다. 다 돌아볼 수 있다면 좋겠지만 꼭 하나만 봐야 한다면 무함마드 알리 모스크만은 꼭 보고 가자. 무함마드 알리 모스크는 이집트 마지막 왕조의 창시자 무함마드 알리가 세운 것으로 이스탄불 블루 모스크를 본떠 만들었다. 11m까지는 모두 옥돌이 사용되었고 일부는 피라미드에서 돌을 가져와 사용했다고 한다. 모스크 안으로 들어가면 고장 난 시계탑이 보이는데 무함마드 알리가 프랑스왕으로부터 룩소르 신전의 오벨리스크와 교환한 시계다. 올 때부터 고장이 나 있었단다. 현재 룩소르 신전의 오벨리스크는 파리 콩코드 광장에 있다. 모스크 안은 정교한 스테인드글라스와 샹들리에, 기하학적인 문양들로 화려하다. 입구 오른 편에는 무함마드 알리의 무덤도 있다. 외부 성곽을 따라가면 전망대가 나오는데 카이로 시내를 파노라마 뷰로 담을 수

있다. 날씨만 좋으면 멀리 기자 피라미드까지 보이니 인생샷
한 장은 따 놓은 당상.

TRAVEL INFO

운영시간 매일 9am-17pm

입장료(성인/학생) 450EGP/230 EGP

알 아즈하르 모스크

(Al-Azhar Mosque)

카이로 가볼 만한 곳 3

972년에 준공된 알 아즈하르 모스크는 카이로 최초 모스크로 이집트 이슬람교의 상징이다. 세계에서 가장 오래된 교육 담당 모스크로 유네스코 세계문화유산은 물론 죽기 전에 꼭 가봐야 할 역사 유적에도 등재되어 있다. 방문 시 주의할 점은 옷차림. 남성은 반바지 불가, 여자는 치마를 입고 스카프나 두건을 써야 한다. 즉, 얼굴 빼고 살을 드러내지 말아야 한다는 말. 혹 준비해 가지 않았다면 모스크에서 대여를 해주니 걱정은 붙들어 매자.

전체적으로 순백색이라 깔끔하고 밝은 분위기지만 이와는 달리 이슬람 성지인 만큼 엄격한 남녀 구분이 존재한다. 남자와 여자가 기도하는 곳이 따로 정해져 있다. 무슬림들은 하루 5번 기도를 해야 하기에 시간대를 잘 맞춰 방문하면 단체로 기도하는 방면을 볼 수도 있다.

오랜 교육 담당 모스크답게 알 아즈하르 대학교와 붙어 있는데 학교 주변으로 고서적 서점과 오래된 건물들이 있어 옛 이집트 바이브를 느낄 수 있다. 이외에도 알 아즈하르 공원도 근처에 있어 함께 둘러보면 좋다. 정원과 잔디밭이 깔끔하게 정돈되어 있고 카페와 레스토랑, 야외극장도 있어 이집션들의 단골 피크닉 장소이자 데이트 코스다. 또한 웨딩촬영 핫플이기도 해서 공원을 산책하다 보면 심심치 않게 촬영 중인 예비 신랑신부를 볼 수 있다. 공원 정상에서는 알 아즈하르 모스크 뿐만 아니라 카이로 성채와 카이로 타워까지 품은 카이로 시티뷰를 감상할 수 있는데, 이집션 공인 카이로 노을 맛집이기도 해서 적당한 시간대에 방문해서 낮과 노을, 그리고 야경까지. 카이로의 하루를 눈에 담아보자.

TRAVEL INFO

운영시간 매일 9am-17pm

입장료 무료

칸 엘 칼릴리 시장

(Khan El-Khalili)

카이로 가볼 만한 곳 4

칸 엘 칼릴리는 1382년 개설된 이래 이집트 최대 전통재래 시장이자 카이로 대표 시장이다. 1500개가 넘는 상점이 들어서 있고 기념품은 물론 이집트 전통 방식으로 만든 향수, 카펫, 향신료, 스카프 등 없는 거 빼고 다 있다. 쇼핑하는 법은 간단하다. 첫째, 호객하는 장사꾼은 무시한다. 둘째, 마음에 드는 게 있으면 물건을 꼼꼼히 본 후 가격 협상에 들어간다. 셋째, 이게 중요한데 장사꾼이 제시한 가격에 1/10로 후려치기를 할 것. 반드시! 설마 그렇게나 가격을 불려서 제시했을까 싶지만 실제로 그렇다. 넷째, 이것도 중요한데 가격은 웬만해선 절대! 타협하지 않는다. 내가 1/10로 후려친 가격에서 조금도 양보를 하지 말자. 끝내 안 내려주면 이만 빠이

칸 엘 칼릴리 시장

조르디숍 내부

~ 인사를 하고 나가보자. 그 즉시 팔을 붙잡아 멈춰 세운 후 원하는 가격에 딜을 해줄 것이다.(경험상 확률 90% 이상이다.) 어쨌든 팔아야 돈을 버는 건 상인들이다.

만약 흥정이 부담스럽고 자신이 없다면 깔끔하게 정찰제로 운영하는 가게로 가면 된다. 시장 내 정찰제 숍은 조르디 숍 (Jordi Shop). 2층에 있는 데다 시장이 워낙 미로 같아 찾기가 쉽지 않으나 근처에 있는 나기브 마푸즈 커피숍(Naguib Mahfouz Coffee Shop)만 찾으면 금세 해결된다. 커피숍에서도 찾기 어렵다면 주변 상인들에게 물어보면 바로 알려준다. 아, 그리고 정찰제 숍이라고 해도 흥정이 가능하다는 사실은 안 비밀! 소소한 정이 오가는 정도의 딜은 가능하다.

여행에 있어 시장 구경과 현지 물건을 사는 것 또한 큰 재미다. 분명 호객과 사기라는 위험요소가 있기는 하지만 이것만 현명하게 대처하고 극복하면 즐거운 쇼핑이 될 수 있을 것이다. 모두 만족스러운 가격에 만족스러운 퀄리티로 양손 한가득 겟 하시길.

TRAVEL INFO

운영시간 매일 9:30am-24pm

TIP 라마단 기간이나 퇴근 시간대에 방문은 가급적 피하자

죠르디숍 찾기 구글맵 검색 시 'Jordi bazar shop'이라고 검색

카이로 타워 (Cairo Tower)

카이로 가볼 만한 곳 5

수도나 주요 관광도시에는 도시 전체를 한눈에 담을 수 있는 마천루이자 랜드마크가 있다. 카이로에는 카이로 타워가 있다. 지상 90층, 최고 높이 187m로 이집트에서 가장 하늘과 가까운 건물이다. 무려 1961년에 완공되었다 하는데, 피라미드 노하우 덕분일까? 이집트는 오래 전부터 높이 쌓는 데는 일가견이 있었던 것 같다.

외부 디자인은 파라오의 상징인 연꽃을 연상시킨다. 800만 개의 마름모 모양의 모자이크로 이루어져 있다. 꼭대기에는 카이로 전경을 감상할 수 있는 전망대와 바로 아래에는 회전식 레스토랑이 있다. 전망대에서는 카이로 시내와 함께 기자

나일강 산책로

피라미드까지도 볼 수 있다. 오직 카이로에서만 담을 수 있는 고대 이집트와 현대 이집트의 공존. 그리고 새삼 느껴지는 피라미드의 위엄.

하지만 아무 때나 간다고 해서 누구나 다 볼 수 있는 것은 아니다. 잊지 말자, 이집트는 국토의 95%가 사막이라는 것을. 대기에 늘 사막의 모래 먼지를 품고 있어 삼대가 덕을 쌓아야 볼 수 있다는 한라산 백록담처럼 쉽게 볼 수 있는 풍경이 아니다. 만약 카이로 여행 중 유독 날씨가 화창해 가시거리가 천리안 급이거든 만사 제쳐두고 카이로 타워로 가자. 기회는 왔을 때 잡아야 하는 법. 한창 맑았다가 언제 또 모래바람이 불어닥쳐 잿빛 카이로로 변할지 모르는 일이다.

TRAVEL INFO

운영시간 매일 9am-1am
입장료 250 EGP

나일강 (Nile River)

카이로 가볼 만한 곳 6

나일강 뷰 숙소 테라스에서 담은 (잿빛) 정오의 나일강

흔히 여행자들 사이에서 하는 말 중에, 어디를 가야 할지 모를 땐 일단 강줄기를 따라가는 말이 있다. 강 따라 걸으면 최소한 여행을 망칠 일은 없기 때문이다. 그도 그럴 것이 그냥 강만 바라봐도 좋을뿐더러, 강 주변에는 트렌디하고 힙한 음식점과 카페가 어김없이 자리하고 있다. 웬만하면 리버뷰 테라스 자리도 가지고 있다. 이것만으로도 하루 종일 시간을 보내기에 충분하지만 여기에 유람선이나 보트 등의 수상 액티비티까지 더해진다면 여행을 망치기는커녕 오히려 좋아! 를 외치게 될 것이다. 나일강 주변은 최고급 럭셔리 호텔과 카이로 타워가 있어 땀 흘리는 체험 삶의 현장 같은 카이로 안쪽

시내와는 전혀 다른 나름 깔끔하고 정돈된 현대 도시의 모습을 하고 있다. 멋진 풍경을 보며 강을 따라 천천히 산책하는 것만으로도 힐링이 된다. 물론 여전히 시끄러운 경적소리는 어쩔 수 없지만 그나마 한걸음 멀어질 수 있어 모르긴 몰라도 아마 카이로에서 가장 여유로워지는 방법이 아닐까? 펠루카가 한가롭게 노니는 낮에도 쿵쾅쿵쾅 비트가 작렬하는 클럽 보트와 유람선이 유유히 떠다니는 밤에 나일강을 따라 산책을 해보자. 여행에도 잠시 숨 돌릴 틈은 필요하니까.

카이로 로컬 맛집

먹을 만한 곳 1

1. 아부 타렉 (Abou Tarek)

이집트 전통 음식점으로 이집션과 수많은 여행자들의 후기로 공인된 코샤리 맛집이다. 세계에서 가장 많은 코샤리를 만들어 기네스북에 등재되어 있을 정도. 양이 많아 1인 스몰사이즈면 충분하다. 코샤리 특성상 정해진 레시피가 있지는 않아 음식점마다 비주얼이나 맛이 다를 수 있는데 괜한 모험을 하기 싫다면 아부 타렉으로 가자.

2. 펠펠라 (Felfela)

1959년 처음 문을 연 펠펠라는 이집트 파인 다이닝 레스토랑이다. 60년이 넘는 오랜 역사와 입소문에 걸맞게 화려한 수상 경력을 가지고 있다. 대표적으로 이집트 내 최고의 파인다이닝 레스토랑을 가리는 어워드에서 'Top Choice'를 수상했고, 방문자수를 기준으로 트립어드바이저로부터 'Certificate of Excellence'를 받았다. 이외에도 5개가 더 있다. 추천메뉴는 하나만 꼽으라면 '샥슈카'지만 전체적으로 음식 맛이 다 좋다는 평이다. 이집트 여행 중 깔끔하고 고급스러운 파인 다이닝이 그리워진다면 펠펠라로 가자.

3. 칸 엘 칼릴리 레스토랑&나기브 마푸즈 카페

(Khan El Khalili Restaurant et Naguib Mahfouz Coffee Shop)

나기브 마푸즈 카페로 잘 알려진 이곳은 1988년, 이집트인이자 아랍어권 작가로서는 최초로 노벨 문학상을 수상한 소설가 나기브 마푸즈를 기리는 레스토랑이자 카페다. 카페 곳곳에 그의 흔적이 전시되어 있다. 입구 간판은 커피숍으로 되어 있으나 실제는 레스토랑도 운영되어 식사와 차를 함께 즐길 수 있다. 1인 최저 주문금액 350 EGP가 있다 보니 차만 간단히 마시기는 어렵고 식사나 디저트를 함께 주문해야 한다. 미로 같은 칸 엘 칼릴리 시장 내에 위치하고 있어 지도를 보며 찾아가기를 추천. 정찰제숍으로 유명한 조르디숍 근처에 있으니 참고하자.

(※구글맵에 'Khan El Khalili Restaurant et Naguib Mahfouz Coffee Shop'로 검색)

카이로 로컬 카페&디저트

먹을 만한 곳 2

1. 엘 피샤위 카페 (El Fishawy Cafe)

1771년에 오픈한 엘 피샤위는 칸 엘 칼릴리 시장에서 가장 오래된 카페다. 과거 이곳에서 왕족들과 예술가, 지식인들이 자주 모여 열띤 토론의 장을 펼쳤다고 한다. 또한 나기브 마푸즈가 자주 찾은 집필 아지트이기도 하다. 어쩌면 그 시대의 카공족이었을까? 대부분의 대표작을 이곳에서 썼다고 한다. 녹차를 마시며 글 쓰는 것을 즐겼다고. 당시에는 글쓰기에 좋은 분위기였는지 모르겠으나 지금의 엘 피샤위 카페는 손님과 호객꾼으로 북적인다. 알갱이가 씹히는 쓴맛의 터키쉬 커피만큼이나 찐한 이집트의 향기를 제대로 느낄 수 있다. 나기브 마푸즈 카페와 마찬가지로 칸 엘 칼릴리 시장 안에 위치하고 있어 지도를 보며 찾아가는 것을 추천한다. (※구글맵에 'El

Fishawy Café'로 검색)

2. 엘 압드 페이스트리 (El Abd Patisserie)

1974년 첫 번째 지점을 오픈한 알 압드 페이스트리는 현지
인들도 줄 서서 먹을 만큼 유명한 아이스크림 맛집이다. 현재
는 5개의 지점을 가지고 있다. 우선 안에 들어가 카운터에서
결제 후 영수증을 매장 밖 직원에게 전달하면 아이스크림을
준다. 아이스크림뿐만 아니라 과자, 마카롱, 빵류도 파는 베
이커리(제과점)라고 보면 된다. 워낙 종류가 많아 뭘 사야 될

지 모르겠다면 현지인이나 직원에게 물어보자. 하나 둘 집다
보면 어느새 가방이 두둑해질지도.

나일강 뷰 추천 숙소

카이로 머물 만한 곳

1. 소피텔 카이로 나일 엘 게지라

(Sofitel Cairo Nile El Gezirah)

나일강의 중심부, 게지라섬에 위치한 소피텔 카이로 나일 엘
게지라는 '2016 WORLD LUXURY HOTEL AWARD
WINNER', 'Best Large Hotel', 'Star Diamond Award'에
서 수상한 5성급 호텔이다. 전 객실 나일뷰를 감상할 수 있는

것이 가장 큰 장점. 단, 테라스 오픈 시 직원 호출 후 안전 관련 동의서 작성이 필요하다. 특이하게 루프탑이 아닌 1층에 나일강과 이어질 것만 같은 인피니티 풀이 있고 풀 바(Pool Bar)도 운영한다. 이집트 음식을 중심으로 다양하게 구성된 조식 뷔페 퀄리티가 만족스럽다. 밤이 되면 빛을 내는 나일강 야경 덕분에 낮보다 밤이 더 아름답다. 여기선 굿나잇! 말고, 로맨틱나잇!

2. 그랜드 나일 타워 (Grand Nile Tower)

나일강의 중심 게지라섬 아래 로다섬이라 불리는 알 마니알에 위치한 5성급 호텔. 이집트 대표 유적지와 관광지가 있는 카이로 시내와의 접근성이 좋다. 총 8개의 레스토랑이 있어 이집트는 물론 프랑스, 인도, 일본, 이탈리아 등 다양한 나라

의 요리를 즐길 수 있다. 뭐니 뭐니 해도 가장 큰 장점은 무료 조식. 그랜드 나일 타워에 머무는 동안에는 아침 굶고 다닐 걱정 따위는 붙들어 매도 된다.

3. 노보텔 카이로 엘 보르그
(Novotel Cairo El Borg)

사진출처 (@노보텔 카이로 엘 보르그 웹사이드)

게지라섬 남동쪽, 나일강을 가로지르는 카스르 엘 닐 브리지 (Qasr El Nil Bridge) 근처에 위치한 4성급 호텔로 카이로 타워, 오페라 하우스, 이집트 박물관을 비롯해 그 외 카이로 대표 유적지와 관광지를 도보로 갈 수 있다. 룸 컨디션은 나쁘

지 않지만 노보텔이라는 네임벨류와 4성급 기준으로 봤을 때
는 약간 아쉬운 편. 그래도 야외 풀, 루프탑 카페, 뷔페 레스
토랑, 라운지 바 등 갖출 건 다 갖추고 있다. 가성비충이라면
후회하진 않을 선택지.

4. 람세스 힐튼 호텔 (Ramses Hilton)

카이로 중심부 타흐리르 광장(El-Tahrir Square)에서 1km
떨어진 곳에 위치해 있는 5성급 호텔로 카이로 어디든 쉽게
이동할 수 있고 바로 옆에 Go Bus 타흐리르 정류장이 있어
타 도시로 이동하기에도 편하다. 힐튼 브랜드 치고는 다른 나
라 힐튼에 비해 가격은 저렴한 편이지만 퀄리티까지 저렴하
지는 않다. 특히 조식에 대한 만족도가 높은 편. 야외 풀장은

온수풀이라 겨울에도 수영을 할 수 있다. 현재 부분적으로 리노베이션이 진행되고 있고 2024년 3월 31일까지 진행 예정이라니 참고하자.

이집트 역사의 심장

기자 GIZA

이집트는 나일강을 중심으로 서쪽은 죽은 자들의 땅(네크로폴리스), 동쪽은 산 자들의 땅(아크로폴리스)이라 불린다. 때문에 서쪽에는 무덤이 많다. 그 무덤들이 바로 이집트 하면 떠오르는 세계 7대 불가사의, 피라미드다. 이집트가 곧 피라미드요, 피라미드가 곧 이집트라 해도 충분할 만큼 이집트를 이야기할 때 피라미드를 빼놓을 수는 없다. 이집트에는 수많은 피라미드가 있지만 그중 가장 대표적인 피라미드는 기자(Giza)에 있다.

수도 카이로에서 남서쪽에 위치한 기자는 카이로 생활권의 관광도시다. 전반적으로 카이로에 비해 낙후되어 있어 흔히 말하는 지방 소도시 같은 느낌이지만 이래 봬도 카이로, 알렉산드리아에 이어 세 번째로 크다. 기자에는 피라미드와 함께 이집트 상징으로 투톱을 겨루는 스핑크스, 고대 이집트 수도였던 멤피스, 그리고 기자 피라미드의 시초인 계단식 피라미드 등 고대 이집트의 흔적들이 남아 있어 이집트 역사의 심장이라 할 수 있다. 고로 피라미드만 달랑 보고 가면 안 된다는 말. 이집트 역사의 심장 속으로 더 깊숙이 들어가 보자. 이집트 역사는 자세히 보면 놀랍고, 오래 보면 위대하다.

기자의 대피라미드

사카라 피라미드

람세스 2세 거상

세계 7대 불가사의

기자의 대피라미드

기자 가볼 만한 곳 1

기자에는 총 9개의 크고 작은 피라미드들이 있다. 넓은 사막에 하나의 단지처럼 모여 있어 기자 피라미드 콤플렉스라고도 하고 기자 네크로폴리스라고도 한다. 그중 3대에 걸친 고왕국 시대 왕의 피라미드가 큰 피라미드이고 나머지 귀요미 피라미드들은 왕들의 어머니, 부인과 같은 가족들의 것이다.

카프레왕의 피라미드와 스핑크스

3대 왕의 피라미드 중 으뜸은 쿠푸왕의 피라미드(Pyramid of Khufu)다. 우리가 익히 알고 있는 전형적인 형태의 피라미드. 이름대로 이집트 고왕국 제 4왕조의 제2대 파라오(*고대 이집트 통치자)였던 쿠푸의 무덤이다. 두 번째로 큰 것은 쿠푸왕의 아들 카프레왕의 피라미드(Pyramid of Khafre), 마지막이 쿠푸왕의 손자이자 카프레왕의 아들인 맨카우레왕의 피라미드(Pyramid of Menkaure)다.

쿠푸왕의 피라미드는 내부 관람이 가능한데 관람료가 따로 있다. 티켓 오피스에서 입장권과 같이 구매하면 되는데 기본 입장료보다 비싸다. 막상 들어가 보면 쿠푸왕의 석관을 보고 나오는 것이 전부라 별거 없다 느껴질 수도 있다. 그럼에도 언제 피라미드 안을 구경해 보겠나 싶은 아쉬움이 계속해서 따라다닌다면 한번 들어가 보시길. 경험상 여행에서는 해보고 아쉬운 게 차라리 더 나으니까.

마찬가지로 기자 피라미드를 돌아다니다 보면 고민되는 게 또 하나 있다. 낙타를 탈 것인가, 말 것인가. 대부분의 낙타를 고민하는 이유는 대략 2가지 정도로 추릴 수 있다. 흥정에 대한 부담, 그리고 냄새다. 일단 흥정은 필수다. 이집트는 어디서 무얼 하든(사든) 본래 가격의 최소 7~10배를 부르기 때문에 일명 '후려치기' 스킬로 가격을 깎아야 한다. 어디까지? 최소 1/7, 최대 1/10까지. 미안해하지 말고 가격이 밑바닥에 닿을 때까지 사사삭 후려치자. 결국에는 돈을 벌어야 하는 입장인 건 장사꾼들이기에 우직하게 소신을 밀고 나가면 어렵지 않게 흥정에 성공할 수 있다. 다음으로는 낙타의 냄새. 사실 이건 딱히 방법이 없다. 존버하는 수밖에. 도저히 안될 것 같으면 그냥 포기하자. 사실 낙타를 타는 가장 큰 이유 중 하나는 낙타 타고 피라미드 배경으로 찍는 인생샷인데, 그거 말고도 남길 수 있는 인생샷이 많다. 시간과 체력이 없지 인생샷 포인트는 차고 넘치는 곳이 피라미드다.

수많은 관광객을 상대하는 낙타도 휴식이 필요하다

마지막으로 기자 피라미드에서 또 빼놓을 수 없는 것이 기자의 대스핑크스(Sphinx of Giza)다. 스핑크스는 일체식 구조의 고대 이집트상으로 역시 생각보다 크다. 하지만 크기에 놀랄 틈 없이 요렇게 저렇게, 소품까지 이용해가며 사진을 찍게 만드는 마력이 있다. 본능적으로 명당을 찾게 된다. 대표적인 인생샷 포즈로는 뽀뽀샷과 선글라스샷이 있다. 혼자 셀피로는 어렵고 2인 1조로 협업이 필요하다. 이게 뭐라고 그렇게

난리들일까 싶지만 가면 나도 모르게 포즈를 잡고 있거나 누군가를 찍어주고 있는 나를 발견하게 될 것이다.

TRAVEL INFO

운영시간 매일 7am-18pm

입장료 540 EGP

(쿠푸왕 피라미드 내부 입장 900 EGP 추가)

피라미드 파헤치기

(쿠푸왕의 피라미드 내부)

기자 가볼 만한 곳 1-1

기자 네크로폴리스에서 가장 큰 피라미드인 쿠푸왕의 피라미드는 기원전 26세기경 이집트 고왕국 제4왕조 시대에 만들어졌다. 완공하기까지 약 20년의 세월이 걸렸다. 최고 높이 약 147m(아파트로 치면 약 50층), 밑변 길이 230m(대략 학교 운동장 한 바퀴 길이)로 약 230만 개의 돌이 사용되었다. 이게 어느 정도의 양이냐 하면, 나폴레옹이 이집트 원정 당시 학자에게 계산을 시켰는데 피라미드를 해체해 2m 높이, 30cm 두께로 담을 쌓으면 프랑스를 한 바퀴 두를 수 있는 양의 돌이라고 했다는 일화가 있다. 현재는 거친 돌을 쌓아 만든 형상이지만 건축 당시에는 내부는 화강암, 겉은 백색 석회암으로 마감해 매끄럽고 반짝반짝 빛이 났다고 한다. 오랜 세월 맞은 풍화와 인위적인 훼손으로 표면이 벗겨져 현재의 모습이 된 것. 피라미드로 들어가는 입구는 현재 2개다. 정문과 도굴꾼이 뚫어 놓은 입구가 있는데 이 중 도굴꾼 문이 내부 관람객용이다. 내부 관람을 위해서는 따로 입장

피라미드 내부 통로 (대회랑으로 가는 길)

권을 사야 한다. 내부는 핸드폰 촬영만 가능하고 카메라나 다른 촬영 장비는 사용 불가다.(지참 자체가 불가한 것은 아니고 가방에 넣어 꺼내지 않겠다는 의사를 표하면 그것까지 제지하지는 않는다.) 안으로 들어가 동굴 같은 길을 따라가다 보면 오르막의 좁은 통로가 나온다. 한 방향으로 한 사람도 지나가기 벅찬 통로지만 오르고 내리는 사람들로 양방향 통행을 해야 한다. 허리도 제대로 못 필 만큼 높이도 낮아 사람이 많으면 생각보다 불편하고 힘들다. 좁은 통로 지나면 또 오르막이다. 대회랑. 다행히 공간이 넓어 허리 펴고 계단으로 오를 수 있어 한결 수월하나 주변에 환기나 통풍이 되지 않아 덥고 답답함이 느껴질 수 있다. 계단길은 올라갈수록 폭이 좁

대회랑

아진다. 두 번의 오르막을 지나면 드디어 쿠푸 왕의 방에 도착하게 된다. 방에는 석관이 달랑 하나 있는데 발견 당시부터 이미 도굴된 상태였기에 아무것도 없다. 들인 비용 대비 끝이 허무할 수 있겠으나 살면서 언제 피라미드 구경

을 해보겠는가?라는 생각이면 추천. 굳이 이렇게까지 볼 필요가 있을까 싶다면 보지 않아도 괜찮다. 패키지에서도 선택관광으로 있는 데는 다 이유가 있는 법이다.

텅 빈 쿠푸왕의 석관

피라미드, 어떻게 쌓았을까?

기자 가볼 만한 곳 1-2

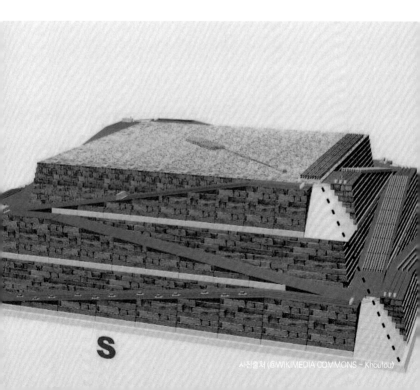

먼저 이집트에는 화강암이나 석회암이 풍부하다. 때문에 피라미드를 쌓기 위한 돌들을 쉽게 구할 수 있었다. 주로 나일강 주변의 채석장에서 돌을 가져왔다. 채석 방법은 구리 재질의 톱으로 돌에 줄질을 하여 홈을 만들고 홈에 쐐기를 끼운 다음 물을 부어 부피를 팽창시켜 돌을 쩍! 하고 깨지게 만드는 원리. 그렇게 깨진 돌을 1차로 대충 다듬어 옮겼다. 돌 하나당 무려 평균 2.5톤, 최고 7톤가량의 무게가 나가는 데 대체 어떻게 옮겼을까? 비밀은 나일강 범람에 있다. 배 위에 돌을 실어 놓으면 나일강이 범람했을 때 강줄기를 따라 나일강 하류(기자 근처)로 이동하게 되고, 그러면 기자에서는 수로를 파놓아 배를 육지에 접안시켜 돌을 내린 것. 그럼 여기서 또

쿠푸왕의 피라미드

다시 이어지는 의문은 피라미드 건설 현장까지의 이동이다. 이에 대한 답은 썰매와 트랙. 썰매 위에 돌을 올리고 트랙을 따라 이동한 것. 이런 식으로 바닥면인 1층을 먼저 만든 후 한 층 한 층 돌을 쌓아갔다.

1층은 그렇다 치고, 그럼 2층부터는 어떻게 올렸을까? 고대 중동에서 많이 쓰였던 방법으로 한쪽에 돌을 나르기 위한 트랙을 깔 수 있는 경사로를 만들고 매 층마다 이를 반복하여 현재의 높이까지 작업을 한 것. 완성된 후에는 내려오면서 경사로를 철거하고 외벽을 반질반질하게 손질하며 마무리. 이것이 현재까지 학계에서 가장 인정받고 있다는 나선형 경사로설이다.

진실 혹은 거짓,

그리고 아직도 풀리지 않은

불가사의

기자 가볼 만한 곳 1-3

세계 7대 불가사의 중 여전히 풀리지 않은 채로 남은 건 피라미드가 유일하다. 때문에 피라미드에 관련해서 현재까지도 진실과 거짓을 논하거나 불가사의에 대한 다양한 해석이 나오고 있다.

먼저 피라미드에 대한 가장 큰 오해 중 하나는 노예들을 징용해 건설했다는 설이다. 이는 고대 그리스 역사가 헤로도토스의 기록에서 기인한 것으로 쿠푸가 강제로 20만 명의 노예를 동원했다고 한 것에서 비롯되었는데, 이것이 학계에서 정설로 받아들여지면서 미디어나 예술 분야에서 그대로 묘사되다 보니 피라미드에 대한 부정적인 편견이 생겼다. 하지만 피라미드 근처에서 노동자들의 마을과 공동묘지가 발견되면서 지금은 사실이 아닌 쪽으로 견해가 기울어 있는 상태. 현재 가장 유력한 설은 농부들과 건설 노동자들이 함께 건설했다는 설이다. 나일강 범람으로 농사를 못 짓게 된 농부들에게는 대체 일거리였고, 건설 노동자들에게는 본업이었던 것. 하루 8시간에 8일 근무 후 2일 휴무. 심지어 유급 휴무였다 하니 복지도 나쁘지 않았다. 또한 급여로 보리빵과 맥주가 지급됐는데 감독관이 이를 어기면 일을 하지 않았다고. 어쩌면 세계 최초의 파업이었을지도 모르겠다.

아직 풀리지 않은 또 하나의 불가사의 중 하나는 피라미디온

(*피라미드 꼭대기의 마감돌)이다. 나선형 경사로설에 따르면 마지막 단까지 올라갈 수는 있으나 끝에 어떻게 정중앙에 딱 맞춰 피라미디온을 올려놓았는지는 여전히 물음표. 그리고 피라미드는 5000년 동안 1.25cm밖에 가라앉지 않았다. 미국 국회의사당이 200년간 5cm 내려앉다고 하는데 이에 비하면 어쩌면 고대 이집트인들이 높은 수준의 건설 기술을 가지고 있었거나, 아니면 좋은 부지를 고르는 그들만의 노하우가 있었거나 둘 중 하나가 아닐까?

이집트미라전에서 전시되어 있었던 피라미디온

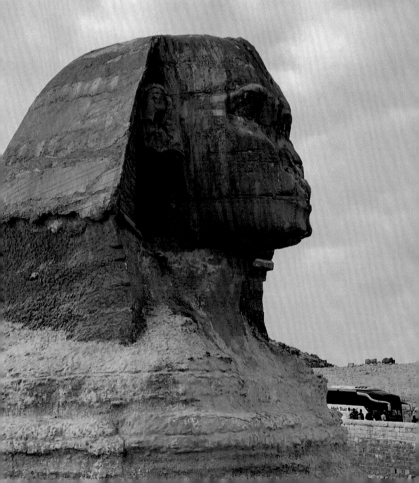

내 코는 어디에... 스핑크스

기자 가볼 만한 곳 1-4

스핑크스는 사자 몸에 사람 얼굴을 한 전형적인 반인반수의 신화 속 동물이다. 이집트 기자의 대스핑크스는 전체 길이 약 70m, 높이 20m, 얼굴 너비 약 4m의 석회암으로 되어 있는데, 돌을 쌓은 후 조각한 것이 아닌 한덩이의 자연 암석을 통째로 조각한 것이다. 위치상 카프레왕 피라미드 앞에 있어 스핑크스의 얼굴이 카프레왕의 얼굴이 아니겠냐 추정하고 있지만 현재까지 정확하게 밝혀진 바는 없다.

얼굴을 자세히 보면 코가 없다. 코와 관련해서는 의견이 분분하다. 나폴레옹이 이집트 원정 당시 얼굴에 대포를 쏴서 망가뜨렸다는 설과 중세 무렵 코가 없으면 파라오가 부활할 수 없다는 사실을 알게 된 극단 이슬람주의자가 일부러 망가뜨렸다는 설 두 가지가 대표적이다. 과연 진실은 무엇일지… 그건 아마도 스핑크스만이 알고 있지 않을까?

스핑크스에는 군데군데 보수의 흔적이 남아있다. 그리고 현재도 계속해서 유지보수를 받으며 관리되고 있다. 그도 그럴 것이 그냥 두면 사막의 모래바람 때문에 몸통이 조금씩 잠기기 때문. 실제 스핑크스가 처음 발견되었을 때도 머리만 빼꼼히 나와 있었고 몸통은 모래에 잠겨 있었다고 하니, 물론 아주아주 긴~ 시간이 걸리겠지만 관리하지 않으면 언젠가는 또 잠기게 될지도 모를일이다.

치명적인 스핑크스 뒷태

피라미드의 시작
사카라 피라미드

기자 가볼 만한 곳 2

기자에서 남쪽으로 약 20km 떨어진 사카라. 이곳에도 네크로폴리스, 피라미드가 있다. 사카라 피라미드. 기자의 대피라미드보다 앞서 만들어진 인류 최초의 계단식 피라미드다. 사카라 피라미드가 없었다면 애초에 기자의 대피라미드는 존재하지 못했을 것. 그렇기에 사카라 피라미드 역시 기자의 대피라미드와 마찬가지로 꼭 한번 둘러봐야 할 곳이다.

사카라 피라미드의 이름은 조세르 피라미드(Pyramid of Djoser). 조세르는 이집트 고왕국 제3왕조의 초대 파라오다. 그 말인즉슨, 피라미드를 처음으로 만든 장본인이라는 얘기. 물론 왕이 직접 만든 것은 아니고 실무자는 따로 있었다. 우

피라미드의 시조새, 조세르의 계단식 피라미드

리에게 영화 '미이라'로 너무도 친숙한 임호텝(Imhotep)이다. 영화에서는 나쁜 놈으로 나오지만 실제로는 다방면에서 능한 전설적인 인물이었다고 한다. 다시 돌아와서, 피라미드 이전의 무덤은 '마스타바'라고 불리는 직육면체 형태였는데 조세르는 마스타바들을 층층이 계단식으로 쌓아 올려 최초로 계단식의 피라미드를 만들었다. 이것이 후대로 전해내려오면서 기자의 대피라미드까지 이어지게 된 것. 뭐든 처음 할 때 세세한 것 하나까지 더 신경 쓰고 공을 들이는 게 인지상정이기에, 기자의 대피라미드가 단지 규모나 높이에서 압도적이라면 사카라 피라미드는 층층이 각진 정교함이 매력이다.

대부분 카이로에서 기자의 대피라미드를 찍고 사카라로 내려온다. 때문에 보통 오전보다 오후에 관람객이 더 많은 편. 그래서 반대로 움직이면 한결 조용한 분위기 속에서 여유롭게 둘러볼 수 있다. 그래야 역사의 흐름에도 맞다. 본디 역사는 흐름을 따라갈 때 가장 이해하기 쉬운 법. 사카라 피라미드를 먼저 보고 기자로 가면 피라미드를 이해하는 게 한결 수월해진다.

TRAVEL INFO

운영시간 매일 8am-17pm

입장료(성인/학생)

- 사카라 피라미드 450 EGP / 230 EGP

- 조세르 피라미드 내부 220 EGP / 110 EGP

- 메레루카 무덤 내부 150 EGP / 75 EGP

- 우나스의 피라미드 내부 무료

- 사카라 전체관람 (All-Inclusive) 900 EGP/450 EGP

이것도 피라미드야?
우나스의 피라미드

기자 가볼 만한 곳 2-1

조세르 피라미드에서 남쪽으로 코브라월(Cobra Wall)을 지나면 페르시안 샤프트(Persian Shaft : 무덤 지하로 연결되는 수직통로) 옆 공사하다가 만 공사판 같은 모래 언덕이 보인다. 얼핏 보면 그냥 모래를 막 쌓아 놓은 듯 보이나 이것도 피라미드다. 우나스의 피라미드(Pyramid of Unas).

우나스는 고대 이집트 제5왕조의 마지막 왕이다. 우나스의 피라미드는 고대 이집트 왕국 피라미드 중 가장 작지만 '우나스의 아름다운 땅'이라는 별칭을 가지고 있을 만큼 겉보기와는 다르게 아주 특별하다. 본래 고대 이집트 파라오들은 자신

우나스 피라미드 내부 통로

무언가 지워진 것 같은 흔적

들의 무덤 내부에 귀족들의 무덤과는 다르게 그림이나 문자 같은 기록을 남겨놓지 않았다. 그런데 우나스는 달랐다. 벽에 기록을 남긴 것. '피라미드 텍스트'라 부르는 그 기록은 파라오 사후 부활을 돕는 수백 개의 주문으로 일종의 주기도문인 셈이다. 이처럼 피라미드 형태의 무덤에서 벽화가 그려진 것은 우나스의 피라미드가 최초. 왜 갑자기 기록을 남기기 시작했는지 이유는 명확하지 않지만 이후 지어진 후대 파라오들의 피라미드들 역시 우나스가 이끈 새로운 트렌드를 따라 기록이 남겨졌다.

벽에 기록된 피라미드 텍스트

현실 천장

우나스의 피라미드의 또 한 가지 특징은 내부 벽의 자재 일부를 특수한 돌로 사용한 것이다. 알라바스타라는 반투명 돌인데 빛을 비추면 빛이 통과하면서 밝아진다. 내부 현실(*무덤 속의 방)에 들어가면 사방팔방 플래시를 비추고 있는 광경을 심심치 않게 볼 수 있다. 혹 내부에서 인증숏을 찍거든 눈뽕 조심할 것.

마스타바? 그게 뭔데?

기자 가볼 만한 곳 2-2

마스타바는 아랍어로 '직사각형의 벤치'를 뜻하는데 직사각형 모양의 벽돌식 단층 무덤을 말한다. 피라미드가 생기기 이전, 왕이나 귀족들의 무덤은 모두 마스타바였다. 조세르왕이 최초로 계단식 피라미드를 만들게 된 것도 마스터바에서 시작됐다. 조세르왕은 임호텝에게 자신의 마스타바 공사를 맡겼는데 당시 파라오의 무덤을 만들 때에는 파라오가 살아있는 동안 계속 공사를 해야 했다. 그런데 마스타바가 거의 완성이 되어갈 때까지도 조세르왕은 멀쩡했고 이에 어떻게든 공사를 계속해나가야 했던 임호텝은 마스타바 위에 작은 마스타바를 올리고 또 그 위에 더 작은 마스타바를 올려 계단식 마스타바를 만들게 되었다. 그렇게 인류 최초의 계단식 피라미드가 탄생하게 된 것. 고로 마스타바는 조세르 피라미드의 시초이자 모든 피라미드의 조상님인 셈이다.

사카라 네크로폴리스의 마스타바

이집트 고왕국 시대의 수도 멤피스

기사 가볼 만한 곳 3

지금은 조그만 마을에 불과한 멤피스는 이래 봬도 이집트 고대 왕조의 수도였던 곳이다. 지나간 과거의 영광은 멤피스 박물관에서 확인할 수 있다. 역대 파라오 중 신왕국 시대를 67년간 통치하며 수많은 신전을 세우고 업적을 남긴 람세스 2세의 석상과 미니 스핑크스도 볼 수 있다. 일자로 누워있는 람세스 2세의 석상은 비록 팔과 다리 한쪽이 부서졌지만 얼굴만큼은 이목구비가 뚜렷하게 보존되어 있어 당시 그의 모습을 상상해 보기에 충분하다. 미니 스핑크스는 과거 멤피스가 나일강 범람, 전쟁 등을 겪은 이후 사막 모래에 묻혀 있다가 1912년 영국의 한 고고학자에 의해 모래 사이에 튀어나온 꼬리가 발견되면서 자신의 존재를 세상에 처음 알리게 되

멤피스박물관 안에 안치된 람세스 2세의 석상

었다. 기자의 대스핑크스에 비하면 귀여운 사이즈라 반려 스핑크스 같은 느낌이 든다. 사이즈는 작지만 있을 건 다 있다. 기자의 대스핑크스에서는 볼 수 없는 이마, 턱, 코가 다 살아 있다. 물론 코가 크든 작든, 있든 없든지 간에 스핑크스 앞에서 해야 할 일은 단 하나, 뽀뽀 인증숏 찍기. 크기도 작고 가까이 다가 갈 수 있어 기자의 대스핑크스에서보다 훨씬 수월하게 연출이 가능하다.

TRAVEL INFO

· **운영시간** 매일 8am-16pm

· **입장료** 150 EGP

기자 로컬 맛집&카페

기자 먹을 만한 곳

1. 피자헛 아부 엘훌점 (Pizza Hut, Abu ElHul)

이집트까지 와서 웬 피자? 그것도 피자헛? 하지만 다 같은 피자헛이 아니다. 우리나라의 그 피자헛은 맞지만 이집트 아부 엘훌점 피자헛은 특별한 맛집인 이유가 있다. 바로 뷰 때문. 어쩌면 피자보다 뷰가 맛있을지도. 세계 어느 피자헛에서도 맛볼 수 없는 '피라미드 뷰'라는 필살 메뉴를 가지고 있다. 피자 메뉴 자체는 우리나라 피자헛과 크게 다르지 않다. 치킨, 페퍼로니, 슈프림, 마르게리타, 새우 등 기본적인 라인업들을 다 갖추고 있다. 피자 한 입 베어 물고 피라미드 한 번 바라보면, 크으~ 절로 진실의 미간이 나온다.

2. KFC 아부 엘홀점

피자헛과 마찬가지로 믿고 먹는 아는 맛. 피자헛과 같은 건물에 있다. 1층이 KFC고 2층부터 루프탑까지가 피자헛. 피라미드 입구 매표소에 가려 피라미드가 온전하게 보이지는 않지만 어쨌든 피라미드뷰다. 홀이 크지 않은 데다 대부분이 피라미드뷰와 루프탑이 있는 근처 숙소 손님들이라 포장을 해가는 사람이 많은 편. 굳이 좁고 복잡한 데서 가려진 피라미드를 보며 먹을 필요는 없으니까.

3. 레스토랑 피라미즈 (Restaurant Pyramids)

이집션 가이드가 추천하는 찐 로컬 맛집. 실제 피라미드 투어 후 가이드에게 추천받아 갔던 곳. 숯불구이 바비큐 전문점으로 가이드 추천 메뉴는 양갈비지만 전반적으로 구이 메뉴들은 다 무난하다. 겉바속촉에 육즙 팡팡, 한국 사람이 특히 좋아하는 불맛까지. 한국인이라면 아마 호불호가 없을 것. 맥주가 당기는 맛이지만 아쉽게도 맥주는 없다. 또한 계산 시 봉사료가 따로 있다. 이 두 가지가 단점이라면 단점.

4. 망고 카페 (Mango Cafe)

시그니처 메뉴가 있다거나 특출나게 맛있는 음료가 있는 것
은 아니지만 복잡 시끌벅적한 피라미드 앞거리 분위기와 정
취를 느끼며 이집트 바이브를 만끽하기에 좋은 장소. 피라미
드 매표소 바로 앞이라 오고 가는 여행자들이 많다 보니 서로
한두 마디씩 나누다 보면 어느새 친구가 되기도 하는 곳이다.
커피보다는 오렌지주스 추천. 바구니 위에 쌓인 오렌지를 직
접 골라서 주면 바로 짜내 신선하고 농도 짙은 오렌지의 단맛
이 난다. 목마를 때, 당 떨어질 때, 시원한 음료 한 잔 들이켜
고 싶을 때 제격. 무엇보다 이른 아침 피라미드 오픈을 기다
리며 시간 때우기에 최고.

피라미드 뷰 추천 숙소

기자 머물 만한 곳

피라미드뷰 숙소는 대부분이 피라미드 근처에 몰려있다. 그 중 거리에 따라 도보로 갈 수 있는 지역은 피세권(피라미드 근처), 택시로 10분 내외 거리에 있어 숙소에서 피라미드가 보이는 지역은 뷰세권(피라미드 인근 지역)으로 나누어 소개 해 볼까 한다.

[피세권]

피세권 숙소들은 피라미드 티켓 오피스 거리에 늘어서 있다. 대부분이 3~4성급 수준의 숙소인데 일반적인 지역의 숙소와 비교 시 동급 대비 룸 컨디션은 조금 떨어지는 편. 또한 관광객들이 워낙 많아 혼잡하고 시끄러운 것 역시 단점이다. 하지

만 엎어지면 바로 피라미드고 대부분의 객실에서 창문으로 피라미드를 볼 수 있다. 대부분의 숙소들이 루프탑을 운영하고 있어 조식을 먹으면서 혹은 맥주나 커피 한 잔 하면서도 피라미드를 볼 수 있다. 만약 이집트 여행의 이유가 피라미드라면 그것만으로도 피세권에 머물 이유는 충분하다.

추천 숙소 LIST

1. 그레이트 피라미드 인 (Great Pyramid Inn) ★★★

2. 피라미드 뷰 인 (Pyramid View Inn) ★★★

3. 이집트 피라미드 인 (Egypt Pyramids Inn) ★★★

4. 피라미즈 하이트 호텔 (Pyramids Height Hotel) ★★★

5. 피라미드 밸리 부티크 호텔 (Pyramids Valley Boutique Hotel)
    ★★★★

[뷰세권]

뷰세권 숙소들은 피라미드와 다소 거리가 있어 덜 혼잡하고 비교적 조용한 편. 3~5성급 숙소들로 룸 컨디션과 시설이 피세권 숙소 대비 깔끔하다. 피라미드가 워낙 크다 보니 뷰세권 거리에서도 피라미드가 제법 잘 보인다. 객실과 루프탑에서 볼 수 있는 것은 물론 5성급 호텔이나 리조트의 경우에는 야외 풀장에서도 볼 수 있으니 이런 휴양은 오직 이집트에서도 기자에서만 할 수 있을 것. 피라미드도 보고 깔끔한 시설과 서비스를 원한다면 조금만 떨어져서 머물자. 적당한 거리에서 보는 도시 속 피라미드의 모습은 가까이서 보는 것과는 또 다른 느낌이다.

추천 숙소 LIST

1. 터쿼이즈 피라미즈 & 그랜드 이집션 뮤지움 뷰 호텔

(Turquoise Pyramids & Grand Egyptian museum view Hotel)
★★★★

2. 메어트 메나 하우스, 카이로 (Marriott Mena House, Cairo)
★★★★★

3. 르 메르디앙 피라미드 호텔 & 스파 (Le Méridien Pyramids Hotel
& Spa) ★★★★★

이집트, 투어로 여행하기

아는 만큼 보이고, 함께 하면 더 즐겁다

세계 4대 문명의 발상지인 이집트는 그 어떤 나라보다 유구한 역사와 문화를 자랑한다. 그렇기에 고대 유적이나 유물들이 많다. 단순히 인증숏만 찍고 먹고 즐기는 여행만 할 게 아니라면 여행 전 배경지식은 필수. 하지만 언제나 그렇듯 일정 짜고 짐 싸기만 해도 벅찬 여행 준비에 배경지식은 으레 뒷전으로 밀리기 마련이다. 만약 본인의 이야기라면 투어를 적극 활용해 보자. 한국어 잘하는 현지 이집션 가이드와 함께 다니면 아는 것도 많아지고 보이는 것도 많아진다. 게다가 인생숏 스폿과 인스타그래머블 포즈도 잘 알고 있어 실패없는 인생숏을 남길 수 있다. 여기에 하이에나처럼 달려드는 호객꾼들까지 실드를 쳐주니 일석삼조. 이 정도만 해도 투어의 장점으

피라미드 투어

로서 충분하지만 무엇보다 좋은 건 함께 다른 여행자들과 여행할 수 있다는 것. 각자의 여행 스타일과 어떤 여행이냐에 따라 다르겠지만 대개는 함께 하면 더 즐거워진다.

투어는 국내 여행사나 Get Your Guide와 같은 글로벌 투어 앱, 또는 네이버 카페에서 찾을 수 있는 온라인 커뮤니티나 소셜로 운영되는 현지 사설 투어 등이 있다. 각각 장단점이 있는데, 국내 여행사 투어 프로그램은 검색하기가 쉽고 예약 및 결제가 편리하나 현지 가이드의 서비스 품질에 다라 호불호가 갈리는 편이다. Get your Guide의 경우 글로벌 앱이다 보니 세계 각국의 여행자들과 함께 여행할 수 있다는 게 장점이라면 장점이나 상품에 따라 한국어 가이드가 없는 경우도 있다. 마지막으로 현지 사설 투어는 검색과 예약 절차에 다소 불편함은 있지만 가격이 비교적 저렴하고 일정 조율도 유연한데다 상황에 따라 소수로 프라이빗하게 다닐 수도 있다.

현지 사설 투어는 '고품격 한인 맞춤형 이집트 투어'를 표방하는 '모마투어'를 추천한다. 가이드학과를 졸업하고 아프리카 지역 한국어 말하기 대회 인기상과 이집트 한국어 말하기 대회 2등에 빛나는 모마가 이집트 역사 교수님에게 배운 이집트 역사와 문화를 쉽게 재미있게 설명해 준다. 한국의 정서와 문화를 잘 알고 한국식 유머도 겸비하고 있어 투어 내내

웃음이 멈추지 않는다. 게다가 취미가 사진 찍기라 사진 걱정도 할 필요가 없다. 그저 모마가 시키는 대로 자리 잡고 포즈 취하면 끝. 그래서 그런지 사실 이집트 투어 하면 모마투어로 통한다. 이집트 여행을 계획 중인 사람이나 다녀온 사람이라면 실제 모마투어를 하지 않았더라도 모마는 알고 있을 정도로 한국에서는 나름 인싸다. 총 8가지 프로그램 중 피라미드, 사막, 카이로 시티 투어가 가장 대표적이다.

모마투어 바하리야 사막 투어 중 찍은 단체숏 (@바하리야 백사막 치킨바위)

이집트 자유여행 시 주의할 점

이집트 여행 수의사항

❝
대가 없는 호의는 없다

우리나라에서 서비스라고 하면 보통 지불한 비용에 다 포함
되어 있어 무료로 도움을 받거나 이용하는 것을 생각하곤 한
다. 하지만 이집트에서 서비스는 무료의 개념이 아니다. 편의
를 위해 무엇이든 도움을 주거나 무언가를 제공하면 그에 해
당하는 비용을 추가로 지불해야 한다. 즉 대가 없는 호의는
없다는 말. 이는 호텔 벨보이에게도, 공항 직원에게도, 그냥
길 가던 사람에게도 다 적용된다. 아무리 사소한 호의라도 말
이다. 그러니 원하지 않는 호의라면 정중하면서도 강하게 거
절할 줄 알아야 한다. 가장 좋은 거절 방법은 먼저 걸어오는
호의에 아무 대꾸도 반응도 하지 않는 것이다. 눈도 마주치지
말 것!

❝
안녕하세요~ 호갱님!

이집트 여행에 대한 또 다른 걱정 중 하나는 일명 호갱이가
되는 것에 대한 걱정이 일 것이다. 이집트에는 동양인(특히
한국인은 더더더!)은 흔하지 않기에 거리를 걸어 다니는 내내
이목의 관심을 받게 되고 엄청난 호객이 들어오게 된다. 이때
조금만 어리바리하면 호객꾼을 그 틈을 놓치지 않는다. 그렇

게 스며들어 결국 구매까지 이끌어낸다. 그러면 호갱이가 되는 것. 후회해도 때는 이미 늦었다. 만약 정말 구매할 관심이 있으면 당당하게 흥정을 하고(1/10 후려치기), 아니라면 강하게 거절하자. 그래도 끈질기게 따라붙는다면 모 여행 유튜버처럼 아무 말 대잔치를 해보자. 괴랄한 외계 언어 같은 말 같지도 않은 말을 혼잣말로 지껄이면 신기하게도 정말 효과가 있다. 물론 쪽팔림은 본인 몫. 현타도 온다.

" 방이 없어요

기자 피라미드 근처 피세권 숙소들은 오버부킹이 빈번하다. 당당하게 지금은 예약한 그 방이 만실이라며 더 저렴하고 컨디션이 좋지 않은 다른 방을 보여준다. 이 무슨 말 같지도 않은 상황인가?! 내가 이미 예약했는데. 일단 오버부킹을 당하면 딱히 방법은 없다. 억울한 건 절대 못 참는 성격이라 어떻게든 따지고 들어 법적 논쟁까지 불사할 의지라면 모를까 그게 아니라면 울며 겨자 먹기로 우선은 남아있는 다른 방을 쓰고 숙박 기간 내에 본래 예약한 방이 비거나 동급의 다른 방이 생기면 방변경을 해 달라고 하는 것이 상책. 아니면 취소, 환불이 가능할 경우 아예 다른 곳에 가던지. 생각할수록 피가 거꾸로 솟고 괘씸하지만 그냥 이집트 문화라는 생각으로 넘겨버리고 여행에 집중하는 편이 더 낫겠다. 가급적이면 숙소 예약 시 룸 사진이 명확하게 나와 있는 예약 바우처를 프린트해서 챙기자. 그나마 증거자료를 가지고 이야기하면 조금은 유리한 위치에서 따질 수 있다. 물론 그럼에도 막무가내 배째라는 식으로 나오면 어쩔 수 없지만.

" 지나친 호기심은 넣어둬!

어느 나라에서든지 여행자라고 모든 것이 허용되는 것은 아니다. 종교나 문화 차이가 있을 수 있기에 여행자로서도 이를 인정하고 지킬 건 지켜주어야 한다. 이슬람 국가인 이집트에서는 어디에서든 기도하는 사람들을 쉽게 볼 수 있다. 가게 안에서도, 식당 안에서도, 사막에서도 정해진 시간이 되면 어김없이 기도를 한다. 이 얼마나 신기한 광경인가? 하지만 그렇다고 대놓고 카메라를 들이댄다거나 빤히 쳐다보는 말자. 우리에게는 그저 이국적인 모습일지 몰라도 그들에게는 그 어느 때보다도 신성하고 진중한 의식이다. 또 한 가지, 이슬람에는 라마단이라는 게 있다. 이 기간에는 금식을 하게 되는데 라마단 중인 이집트 사람에게 음식을 권하는 것은 예의가 아니다. 이집트 현지 가이드 피셜 물조차도 권해서는 안 된다고. 옆에서 음식을 먹는 행위도 피해야 한단다. 조금만 생각하면 결코 어려운 일이 아니니 현지 문화를 존중하는 마음으로 배려해 보자. 그러면 이집트 어디를 가도 환영받는 여행자가 될 수 있을 것이다.

이집트 사람들이 유독
바가지가 심한 이유

이집트에 대한 오해와 진실

이집트는 관광산업이 외화 수입에 큰 비중을 차지한다. 코로나 이전까지 계속해서 높은 성장률을 보인 산업으로 이집트 전체 인구의 약 10~15% 정도가 관광업에 종사하고 있다. 때문에 여행객들을 상대로 무언가를 판매하는 것은 관광업 종사자들에게는 중요한 생계수단이자 국가적으로 득이 되는 일이다. 그런데 이집트는 가격정찰제가 확립되지 않은 국가다. 호객이 다소 심하고 흥정이 필수인 이유가 바로 여기에 있다. 문화적으로 가격 협상을 자유롭게 할 수 있다. 터무니없게 높

낙타는 흥정이 필수

은 가격도 파는 사람 마음이고, 이래도 되나 싶을 정도로 가격을 깎는 것도 사는 사람 마음. 가격이 얼마든지 간에 서로 협의만 되면 거래는 성사된다. 고로 최고가도 최저가도 없는 셈이다.

본래 여행자에게 현지의 낯선 문화는 어렵고 불편하기 마련이다. 이를 잘 적응해 나간다면 새로운 문화를 경험할 수 있기에 오히려 여행이 더 즐거워질 것이고, 나쁘게만 생각한다면 여행 내내 기분이 좋지 않을 것이다. 물론 그렇다고 여행

호객의 끝판왕의 역시나 칸 엘 칼릴리 전통시장.

자가 무조건 현지의 문화를 이해하고 받아들여야 할 필요는 없다. 아무리 현지 문화라도 선을 넘어 들이댄다면 불쾌함을 드러내며 확실하게 거절 의사를 표현하면 된다. 모름지기 여행자가 현지 문화를 이해하고 적응하려 애쓰는 만큼 현지인 또한 여행자를 존중하고 배려할 줄 알아야 마땅한 법이니까.

이집트 여행이 편해지는

3가지 꿀팁

이집트 여행 TIP

❝ 가격 후려치기 팁

일단 가격 후려치기 전에 확실하게 해둘 것이 있다. 확실하게 살 마음이 있는 물건인지를 먼저 정하자. 필요도 없고 살 마음도 없는 물건을 두고 괜히 후려치기 했다가 안 사면 서로 얼굴을 붉히는 상황이 발생될 수 있으니. 어쨌든 상인들에게는 생계수단이기에 그냥 슬쩍 떠보는 식의 접근은 삼가는 것이 좋다.

타깃을 정했으면 물건을 꼼꼼히 살펴본 후 가격을 물어본다.

그러면 다음은 두 가지 케이스로 나뉜다. 선뜻 가격을 제시하거나, 되려 얼마를 원하냐 묻는다. 상인이 먼저 가격을 제시하면 그 가격이 기준이 된다. 거기서 과감하게 1/10로 후려치자. 대뜸 놀라겠지만 연기 만렙이니 놀라지 말 것. 이러쿵저러쿵 안되다고 하겠지만 반응하지 말고 1/10을 고수하다가 도저히 안될 거 같으면 비싸서 안되겠다며 그냥 나가자. 그럼 여기서 또 두 가지 케이스로 나뉜다. 정말 그냥 보내거나 붙잡거나. 붙잡으면 후려치기 성공!(경험상 열에 여덟은 잡혔다.) 어쨌든 팔아야 돈을 버는 건 상인이다.

가격을 먼저 제안해 달라고 하는 경우에는 다시 상인에게 먼저 제시하라고 토스한다. 제시 가격이 흥정의 기준이 될 것이기에 물가를 잘 모르는 상태에서 섣불리 제시했다가는 내 꾀에 내가 넘어가게 될 수도 있다.

" 현금 박치기 팁

현금으로 거래 시에는 지폐든 동전이든 하나씩 세어가면서 직접 손에 쥐어 주자. 손은 눈보다 빠르다고 뭉쳐서 주면 슬쩍 밑장 빼기를 하고서는 돈이 부족하다는 사기를 치는 경우가 있다. 설마 내가 돈도 제대로 못 셀까 싶지만 익숙하지 않은 화폐다 보니 막상 상황이 닥치면 헷갈릴 수 있다. 만약 이런 상황에서 100%의 확신으로 돈을 제대로 지불했고 밑장 빼기가 의심된다면 과감하게 경찰을 부르겠다고 하고 실제로 액션을 취하자. 정말 사기꾼이 맞다면 경찰 부르기 전에 상황은 알아서 종료될 것이다.

칸 엘 칼릴리 전통시장 내 정찰제 숍 조르디에 전시된 세계 화폐

" 길 쉽게 건너는 팁

눈치게임을 하던지, 이집션 뒤꽁무니를 잘 따라가던지

이집트 도로는 신호등이 없는 곳이 많고 있어도 고장 난 곳이 많은 데다 차들도 워낙 무법자처럼 다니기에 여행자들이 길을 건너기에 여간 부담스러운 게 아니다. 결론은 다가오는 차의 운전자와 아이 콘택트를 하며 눈치 싸움을 잘 해야 하는데 이런 무질서가 낯선 여행자에게는 쉽지 않다. 그래서 가장 좋은 방법은 현지인 뒤를 쫓아 건너기. 주위에 이집션이 있으면 지켜보고 있다가 건널 때 스윽~ 뒤꽁무니에 따라붙자. 주위만 잘 살피며 건너면 된다. 건너는 중에도 속도를 낮추지 않고 달려오는 차들이 있는데 무섭다고 멈추면 되려 사고가 날

수 있다. 이집션이 계속 간다면 믿고 계속 따라가면 된다. 질
서가 없어 보여도 그들끼리는 다 질서가 있다.

알.쓸.이.말

(알아 두면 쓸데 있는 이집트 말)

이집트 여행 회화

세상에는 수많은 나라, 수많은 언어가 있다. 다 할 줄 알면 참 좋겠지만 사실상 2개 국어 이상 마스터하기도 쉽지는 않은 게 현실. 하지만 다행스럽게도 여행을 할 때는 대륙마다 공용으로 사용되는 언어만 알아도 충분히 의사소통이 가능하다. 대표적으로 영어, 스페인어, 프랑스어, 여기에 아시아권을 좀 보탠다면 일본어, 중국어, 한국어(애국심에 넣어봤다!) 정도? 이렇게만 할 줄 알아도 아마 웬만한 곳에서 의사소통으로 큰 불편을 겪을 일은 없을 것이다. 때문에 굳이 그 나라의 모국어를 구사할 필요는 없지만 그래도 간단히 몇 마디라도 던질 수 있다면 여행은 더 재밌어진다. 왜 우리나라에서 한국말로 길을 물어보는 외국인들 보면 기꺼이 도와주고 싶은 마음이 뿜뿜 솟아나지 않나?

현지인들과 친해지는 데에도 현지 언어를 사용하는 것만큼 좋은 방법이 없다. 그 나라의 언어를 사용한다는 건 그 나라의 역사, 문화, 정신을 존중한다는 의미이기에 현지인들에게 좋은 인상을 남길 수 있고 열린 마음으로 여행자인 나를 받아들일 수 있게 한다. 그렇기에 일상에서 자주 사용하는 생활 회화 정도는 알아두고 가면 좋겠다.

이집트는 아프리카 대륙의 나라지만 중동의 이슬람 문화권이기에 아랍어를 사용한다. 흔히 영어를 두고 어르신들이 말

씀하시길 꼬부랑글씨라 하는데, 아랍어야말로 현존하는 찐 꼬부랑글씨. 글인지 그림인지 아무리 봐도 도저히 유추할 수 없기에 이해하기보다는 그냥 외워두자. 즐겁고 풍성한 이집트 여행을 위하여!

"
안녕 – 아흘란/살람/살람 알라이꿈

"
미안/미안합니다 – 아세잎

"
고마워 – 슈크란

"
천만에요 – 아프완

"
얼마예요? – 비캄

"

괜찮아요 (거절의사) – 라/레 슈크란

"

Okay – 타맘

"

아름답거나 웅장하거나 신기하거나, 놀라고 감탄할 때 – 마샬라

"

알라신의 가호가 있기를 – 앗쌀람 알라이쿰

"

저는 OO입니다. (자기소개) – 아나 OO.

"

저는 한국에서 왔어요. – 아나 코레 (*한국=코레, 남한=코리아 제노비야)

"

숫자 (*택시 번호판 확인 시)

صفر	واحد	اثنان	ثلاثة	أربعة	خمسة	ستة	سبعة	ثمانية	تسعة	عشرة
sifr	wāhid	itnān	talātah	ʾarbaʿah	ḥamsah	sittah	sabʿah	tamāniyyah	tisʿah	ʾašarah
0	1	2	3	4	5	6	7	8	9	10

0 : 씨프르 1 : 와-히드 2 : 이쓰난 3 : 쌀라 4 : 아르바아 5 : 캄싸
6 : 씻타 7 : 싸브아 8 : 싸마니야 9 : 티쓰아 10 : 아샤라

이집트 여행을 마치고

에필로그

자유여행으로 이집트를 여행하기란 분명 쉬운 일은 아니다. 언어, 종교, 문화 등 많은 면에서 유럽이나 동남아나 미주에 비해 그 차이가 심하다. 조심해야 할 것도, 지켜야 할 것도, 적응해야 할 것도 많지만 반대로 말하면 그만큼 어디에서도 접해볼 수 없는 새로운 것들이기에 매력으로 다가오기도 한다. 피라미드와 스핑크스를 비롯한 고대 문명의 무덤과 신전들은 오로지 이집트에서만 볼 수 있으니까. 이것만으로도 이집트를 여행할 이유는 충분하다. 거기에 저렴한 물가는 덤이다.(물론 호갱이가 되지 않는다는 전제하에^^;;)

이집트는 아직 우리나라 사람들에게 인기 있는 자유여행지는 아니다. 그래서 다른 나라에 비해 상대적으로 여행정보도, 여행기도 찾기가 쉽지 않다. 아무런 정보 없이 직접 부딪혀 보는 것도 좋겠지만 혹 너무 거친 여행이 되지는 않을까 하는 마음에 귀띔이라도 주고자 나의 여행 경험을 풀어내 보았다. 물론 나의 여행이 이집트의 전부는 아니다. 내가 모르는 매력 혹은 어려움이 아직도 얼마나 더 남아있는지는 나도 모른다. 이제 여러분이 경험할 차례다. 내가 아는 이집트는 물론이요, 내가 모르는 새로운 이집트를 여행해 주기를 바라며,

마지막 인사는 역시나, 앗쌀람 알라이쿰!